S0-ATS-435

RENÉE CLAUDE

Donne-moi le temps

WITHDRAWN
FROM COLLECTION
VANCOUVER PUBLIC LIBRARY

RENÉE CLAUDE

Donne-moi le temps

BIOGRAPHIE

MARIO GIRARD

LES ÉDITIONS **LA PRESSE**

Catalogage avant publication de Bibliothèque et Archives nationales du Québec et Bibliothèque et Archives Canada

Titre: Renée Claude : donne-moi le temps / Mario Girard.
Autres titres: Donne-moi le temps
Noms: Girard, Mario, 1961- auteur.
Identifiants: Canadiana 20200071432 | ISBN 9782897058593
Vedettes-matière: RVM: Claude, Renée, 1939- | RVM: Chanteuses
—Québec (Province)—Biographies.
Classification: LCC ML420.C53 G57 2020 | CDD 782.42164092—dc23

Président : Jean-François Bouchard
Directeur de l'édition : Pierre Cayouette
Directrice administrative : Nancy Lauzon
Responsable, gestion de la production : Emmanuelle Martino
Communications : Des Ruisseaux Communications

Éditrice déléguée : Sylvie Latour
Conception graphique : Célia Provencher-Galarneau
Révision linguistique : Sophie Sainte-Marie
Correction d'épreuves : Lise Duquette
Photo de la couverture : Ronald Labelle
Photo de l'auteur : Pierre Ouimet

L'éditeur bénéficie du soutien de la Société de développement des entreprises culturelles du Québec (SODEC) pour son programme d'édition et pour ses activités de promotion.

L'éditeur remercie le gouvernement du Québec de l'aide financière accordée à l'édition de cet ouvrage par l'entremise du Programme de crédit d'impôt pour l'édition de livres, administré par la SODEC.

Nous reconnaissons l'aide financière du gouvernement du Canada par l'entremise du Fonds du livre du Canada (FLC).

© Les Éditions La Presse
TOUS DROITS RÉSERVÉS
Dépôt légal — 1er trimestre 2020
ISBN 9-782-89705-859-3
Imprimé et relié au Canada
Premier tirage : mars 2020

LES ÉDITIONS **LA PRESSE**
Les Éditions La Presse
750, boul. Saint-Laurent
Montréal (Québec)
H2Y 2Z4

À ma mère
Je lui serai éternellement reconnaissant
de m'avoir emmené, un soir d'été
du début des années 1970,
voir un spectacle de Renée Claude.

À Michel
Un gars comme lui, ça se trouve pas
à tous les coins de rue !

« Tant et aussi longtemps que le Québec
va dire " Je suis le Québec ",
il va se souvenir de Renée Claude. »

STÉPHANE VENNE

Remerciements et notice

JE DÉSIRE D'ABORD REMERCIER ROBERT LANGEVIN, LE COMpagnon de Renée Claude, pour sa confiance et sa précieuse collaboration. Sans son accord, cette aventure n'aurait pas été possible. Lorsqu'on découvre cet homme, on comprend pourquoi Renée Claude a un jour accepté de monter à bord de sa Renault 5.

Merci à Michel et à Richard Bélanger, les frères de Renée Claude, pour avoir soulevé le voile sur la vie de leur famille. Ils l'ont fait avec délicatesse et respect, à l'image de leur sœur.

André Ducharme est sans doute l'homme qui connaît le mieux le parcours artistique de Renée Claude. Il est son fidèle ami et confident depuis plusieurs décennies. Son aide, sa présence et ses encouragements m'ont été indispensables.

Les auteurs, compositeurs et musiciens qui ont traversé la vie de Renée Claude ont tous en commun d'être de grands artistes. Ce projet m'a offert le privilège d'en rencontrer plusieurs. Ces êtres d'une richesse inestimable sont : Clémence DesRochers, Jean-Pierre Ferland, François Dompierre, Stéphane

Venne, Luc Plamondon, Michel Tremblay, Michel Robidoux, Bill Gagnon, François Dubé, Philippe Noireaut et Marc Desjardins. Cette histoire leur appartient aussi. Je n'ai aucun doute que, si Renée Claude avait rédigé les pages qui suivent, elle leur aurait dédié ce livre. Je les remercie profondément d'avoir partagé avec moi des fragments de leur vie.

Merci à tous ceux qui ont accepté d'ouvrir leur cœur et leurs tiroirs à souvenirs pour parler des moments qu'ils ont vécus avec leur amie ou leur camarade : Mouffe, Louise Forestier, Guy Latraverse, Yves Laferrière, Pierre David, Normand Paquette, Monique Giroux, Louise Collette et France Beaudoin. Je suis ressorti de ces rencontres en me disant que Renée Claude a toujours su bien s'entourer.

Ce travail n'aurait pas été possible sans une immersion dans de nombreux documents d'archives. Un énorme merci aux équipes de la BAnQ et de Radio-Canada, et particulièrement à François Desrochers, qui m'ont permis de remonter dans le temps afin de renouer le fil de la vie de Renée Claude.

Merci à ma chère amie Odette Dumas. Son aide et son regard ont été précieux.

Finalement, je tiens à souligner la présence rassurante (et la patience) de mes voisins et amis, Philippe et André. Pendant les mois d'été où j'ai écrit ce livre, ils ont entendu à répétition les chansons de Renée Claude. De leur terrasse, je les entendais parfois réclamer un air en particulier. Cela témoigne du grand pouvoir de séduction qu'a cette merveilleuse interprète.

À moins d'avis contraire, les propos de Renée Claude publiés dans ce livre proviennent d'entretiens réalisés par le journaliste et auteur André Ducharme, en 2004, en vue d'un spectacle biographique qui n'a malheureusement pas vu le jour.

Le titre de ce livre, *Donne-moi le temps*, est emprunté à une chanson coécrite par Renée Claude et Stéphane Venne.

Préface

LES CORRIDORS DU CHSLD DÉGAGENT UNE ODEUR DE CUISINE trop cuite et d'hygiène négligée. Mais dans la chambre bleue du fond, transformée par son amoureux en cocon feutré avec canapé, chaîne stéréo et fleurs fraîches, flotte le parfum *L'Eau d'Issey*, d'Issey Miyake. Ça sent bon.

Elle tire sur d'invisibles bouloches de mon pull, prend mon nez pour une poignée de porte, veut me manger les doigts quand je les approche de sa bouche pour lui appliquer du baume sur les lèvres. Elle rit, je ris par contagion, on est bien. La peau de ses mains est douce, son visage, serein. Me reconnaît-elle ? M'illusionnerais-je si je disais « oui, parfois » ?

Renée Claude, l'idole de ma jeunesse, a 80 ans. Vous le savez : M. Alzheimer l'a attrapée dans ses filets. Renée ne marche plus, ne parle plus vraiment, mais elle fredonne beaucoup et sourit autant. Un sourire accompli, une arme de séduction massive.

J'ai voulu l'épouser aux premières notes entendues à la télévision, au début des années 1960, quand son talent grelottait encore. J'avais une dizaine d'années ; elle, une robe noire, des yeux charbon, un nez busqué (que la chirurgie rendra plus harmonieux) et une voix qui – c'est une image – me mettait la main au cul. Toute mon adolescence, j'ai dormi entre quatre murs tapissés des photos de Renée Claude. Je me perfusais de ses chansons. Je comptais les jours jusqu'à son prochain disque, je ne ratais aucun de ses spectacles.

Elle chantait Ferland, Vigneault, Clémence, Béart, Ferré, Brassens... À ses débuts sur scène, ce n'était pas un modèle de décontraction : elle n'osait pas tenir le micro, de crainte qu'il ne lui échappe des mains. Mais il fallait être mutilé du muscle cardiaque pour ne pas vibrer à sa voix. Cette voix dans laquelle il y avait de l'eau, de l'or, du bois, du ciel, de la flûte et du violoncelle. Je n'en perdais aucune molécule.

À côté de chanteuses qui jouaient à qui a la plus puissante, préférant jouer de l'octave plutôt que de la sensibilité, Renée a toujours fait preuve de sobriété, de subtilité, d'intériorité. Son économie de gestes était un art. On aimait autant l'entendre que la regarder chanter : supérieurement belle, ontologiquement élégante, naturellement sensuelle.

On est devenus amis lors d'une entrevue pour le magazine *Montréal ce mois-ci* en 1979, pour laquelle je lui avais demandé deux heures de son temps ; elle m'en a accordé six. N'eût été le patron du restaurant qui voulait aller se coucher, on y serait encore. Vite, on a lâché le vouvoiement.

Je découvrais que, pour une timide réputée asociale, elle se débrouillait drôlement bien. On la jugeait froide ; elle me donnait chaud. Elle jasait abondamment, digressait volontiers, ouvrait les parenthèses sans les refermer. Elle se qualifiait de gaffeuse et de maladroite, et le manifestait, d'ailleurs, en renversant tout sur la table. Ses bracelets tintinnabulaient ; le grain de beauté sur sa joue se moquait de ma naïveté de l'avoir cru vrai ; elle imitait l'élocution de la plupart des gens qui s'invitaient dans la conversation ; le gâteau au chocolat n'avait pas longtemps traîné dans son assiette.

On avait discuté de tout, jamais de rien : d'astrologie chinoise, de cinéma, de méditation transcendantale, de jeûne, d'écriture automatique, de livres, de son chat siamois, du Japon, de son aversion pour les tâches ménagères, de sa fatigue chronique (« Même porter mon sac d'école m'épuisait », disait-elle), des nodules sur ses cordes vocales, de ses laryngites à répétition, de René Lévesque, de techniques de chant, de psychanalyse, de réincarnation, de sa lenteur, de ses insomnies, de son orgueil, de son *ego* d'artiste, du trac, de ses parents, de ses amours... Le ciment a pris très fort entre nous. Elle m'a invité quelques jours plus tard à venir célébrer, avec ses amis et sa famille, son quarantième anniversaire. Elle a eu beau par la suite changer d'âge, d'amoureux, de coiffure, moi, le pot de colle, je lui suis resté attaché. Elle était le cerf-volant, je tenais la ficelle.

Renée Claude a vécu des soleils forts et des ombres épaisses, des pics et des creux. Elle a connu le succès, la gloire, puis la confidentialité. Elle savait que l'ascenseur qui monte finit toujours par redescendre. Elle le constatait sans tristesse, sans amertume, mais avec lucidité, une de ses forces. Joaillière du doute, elle se révélait plus critique envers elle-même que tous les critiques officiels ; exigeante et perfectionniste à en être exaspérante. Je ne l'ai jamais surprise à avoir des sursauts d'appréciation de son travail. Même quand on l'applaudissait à tout rompre, que les bravos fusaient de toutes parts, qu'on se bousculait dans sa loge pour la féliciter, elle n'y croyait jamais tout à fait.

Là, j'aimerais qu'elle me croie quand j'écris qu'elle a anobli le métier d'interprète, largement contribué à l'éclosion de la chanson québécoise, sculpté un trône à Stéphane Venne et à Luc Plamondon, et laissé, entre autres miracles dans nos oreilles, un double disque impossible à esquiver : *On a marché sur l'amour*, miroir de son spectacle consacré à Léo Ferré. Peut-être l'Annapurna de sa carrière.

Renée m'a dit un jour : « J'aimerais qu'on garde de moi le souvenir d'une chanteuse qui essayait de bien faire ce qu'elle avait à faire. » Cette bio signée Mario Girard le démontre par la preuve et répare de surcroît le défaut de considération dont la chanteuse aura été parfois la victime. Elle n'a pas reçu de Prix du Gouverneur général du Canada pour les arts du spectacle, pas de prix Denise-Pelletier du gouvernement du Québec pour les arts d'interprétation, pas d'hommage de l'ADISQ, récompenses qu'on a pourtant attribuées à des artistes qui le méritaient moins qu'elle. Mais je ne me montrerai ni mesquin ni aigre, car Renée ne l'était pas une seconde, admirative du talent des autres, émue par les anciens qui duraient et curieuse des jeunes qui leur poussaient dans le dos.

Renée Claude aura duré plus de 50 ans sans se renier. Grâce à ce livre, elle durera toujours.

André Ducharme
Journaliste et auteur

Elle ne cesse de voyager

MERCREDI, 13 NOVEMBRE 2019. UNE SALLE DE RÉPÉTITION de la Maison symphonique. Antoine Gratton est au piano. Il est entouré de chanteuses. Et non les moindres. Marie Denise Pelletier, Luce Dufault, Louise Forestier, Isabelle Boulay, Ariane Moffatt, Kathleen Fortin et Marie-Élaine Thibert. Catherine Major et Annie Villeneuve sont absentes.

Et puis, au fond de la salle, il y a Clémence DesRochers. La grande Clémence. Celle qui a veillé sur la carrière de tant d'artistes. Celle qui a offert sa poésie à ceux qui savent reconnaître un bon texte de chanson. Celle qui a joué à l'ange gardien pour Renée Claude au commencement de sa carrière.

Car c'est d'elle qu'il s'agit. De Renée Claude. De cette immense interprète, de cette artiste accomplie qui, au début des années 1960, a procuré à un métier en devenir ses lettres de noblesse. Avant cette époque, les «diseuses» traduisaient une œuvre. Avec l'arrivée de Renée Claude et de quelques consœurs, les interprètes se sont mises à l'exprimer, à la matérialiser.

Si tout ce beau monde est rassemblé en cet après-midi d'automne qui se prend déjà pour l'hiver, c'est pour préparer un hommage qui sera rendu à cette pionnière. Malheureusement, celle qui va recevoir cet élan de sympathie ne sera pas dans la salle. C'est dans sa chambre de la résidence où elle vit depuis deux ans qu'elle pourra «ressentir» les messages d'amour que lui enverront les chanteuses et les nombreux musiciens.

«Ressentir», c'est un mot qu'aime bien utiliser Robert Langevin, l'amoureux des 30 dernières années de Renée Claude. «Renée ressent votre amour», aime-t-il à dire. Cela console ses admirateurs qui ont appris en février 2019 qu'elle était atteinte de la maladie d'Alzheimer. À dire vrai, la nouvelle a bouleversé le Québec en entier. L'amour du public pour Renée Claude est vaste. On l'a compris.

Comment cela était-il possible? Renée Claude, qui a su admirablement épouser les partitions, les décennies et les modes, qui a ensorcelé avec toujours la même grâce les paroliers et les poètes, qui a défié le temps et les lubies de son métier en enregistrant pas moins de 225 chansons, cette Renée Claude a, dans la plus grande discrétion, remisé ses pensées et ses souvenirs dans un coffre dont elle seule possède la clé.

Sitôt la nouvelle tombée, le producteur Nicolas Lemieux et la femme de radio Monique Giroux ont rassemblé en un temps record certaines des plus belles voix du Québec pour enregistrer *Tu trouveras la paix*, une chanson dont on a alors découvert un nouveau sens. Comment ne pas songer à la condition de Renée Claude quand on entend : «Tu trouveras la paix dans ton cœur/Et pas ailleurs, et pas ailleurs/La seule vraie tranquillité/Le grand repos, l'immobilité»?

Ce sont les mêmes Nicolas Lemieux et Monique Giroux qui, huit mois plus tard, assurent le bon fonctionnement de ce spectacle-hommage pour lequel on a fait appel à l'Orchestre symphonique de Montréal et dont les profits sont destinés au Fonds de la recherche sur la maladie d'Alzheimer du Centre de recherche du CHUM. L'événement est nommé, à juste titre, *Renée Claude, la mémoire du cœur*.

Pour ouvrir ce spectacle grandiose, on a choisi *Vivre douce-ment*, une chanson que Stéphane Venne a brillamment mise en paroles sur une musique de Bach. Ce texte, l'auteur-compositeur fétiche de Renée Claude en est très fier. Il lui a fallu des mois pour l'écrire en 1970. Le phrasé est plus com-plexe qu'il n'y paraît. En répétition, les chanteuses butent. Professionnelles, elles reprennent inlassablement la chanson. «Veux-tu échanger ton couplet contre le mien?» dit à la blague Marie Denise Pelletier à Isabelle Boulay.

«Vous savez quoi, les filles, on devrait écouter la version originale», propose Marie-Élaine Thibert. Toutes autour du piano, les chanteuses écoutent attentivement l'enregistrement de Renée Claude. De sa bouche, les mots semblent couler comme des feuilles d'automne sur l'eau paresseuse d'un ruis-seau. On découvre alors l'un des secrets de cette interprète :

donner l'impression de la facilité pour mieux faire ressurgir la beauté de la chanson. Et cacher le travail, l'immense travail, qu'il y a derrière tout cela.

On demande à Clémence de venir répéter *La ville depuis*, une chanson qu'elle a enregistrée en 1965 et que Renée Claude a interprétée des centaines de fois lors de son spectacle *Moi c'est Clémence que j'aime le mieux!* « Mon amour a pris sa débarque/Du haut de la Place Ville Marie/J'en porte encore toutes les marques/Surtout un vertige infini. » La poésie de Clémence embue le regard des autres chanteuses.

Puis Marie Denise Pelletier vient faire *Le tour de la terre*. Elle a du mal à attaquer le refrain. Antoine Gratton, qui signe les arrangements, lui explique qu'il y a une descente d'un demi-ton. « Je vais finir par l'avoir », dit-elle.

Et c'est au tour d'Ariane Moffatt avec *Berceuse pour mon père et ma mère*, Marie-Élaine Thibert avec *Si tu viens dans mon pays*, Kathleen Fortin avec *L'indifférence* et Isabelle Boulay avec *Hymne à la beauté du monde*, tiré de la monumentale *Le monde est fou*. Les chansons défilent. Les années aussi. « Quel répertoire! » disent les chanteuses.

Le soleil est allé se coucher, la journée s'étire. Luce Dufault attaque *Je recommence à vivre*, de Luc Plamondon et Christian Saint-Roch. Elle termine la chanson submergée par l'émotion. Elle dit à Antoine Gratton : « On ne la refait pas une deuxième fois, OK? »

Vendredi 15 novembre. Une certaine fébrilité règne dans les coulisses de la Maison symphonique. Robert Langevin va dans toutes les loges et offre une rose à chacune des chanteuses. Il dit que ce cadeau vient de Renée.

Quelques minutes avant de monter sur scène. Monique Giroux réunit les interprètes. Les femmes forment un cercle en se prenant la main. «Pour Renée... À Renée... On le fait pour elle. Elle est avec nous», dit-elle.

Le chef Adam Johnson rejoint l'orchestre. Après la vidéo montrant l'aventure de la chanson *Tu trouveras la paix*, les premières mesures de *Vivre doucement* se font entendre. «Vivre doucement/Passer d'un jour au suivant/Avec infiniment de grâce comme le vent.» Les neuf interprètes sont prodigieuses.

Au cours de ce spectacle qui sera souvent entrecoupé d'ovations et de bravos, l'émotion effectue une longue et belle montée. Entre deux chansons, venant du côté jardin, Stéphane Venne apparaît. Le public l'applaudit à tout rompre. À travers lui, le souvenir de toute une époque, celle que Renée Claude et lui ont contribué à embellir, revient soudainement.

Au micro, il dit qu'il n'a jamais eu autant de difficulté à écrire un texte. Mais comme cet auteur n'a jamais craint la page blanche, il se lance et partage avec le public des mots d'une brûlante sincérité.

« En 1966, quand j'étais un jeunot prétentieux et téméraire, avec pour seule crédibilité celle qui me venait d'avoir gagné un concours de chanson en marge d'Expo 67, mais avec la conviction que si j'étais pourri comme chansonnier interprète, j'étais moins pourri comme auteur-compositeur-non-interprète et comme réalisateur de disques, alors elle a cru en moi, elle a cru aux chansons que je n'avais pas encore écrites, elle a surtout cru à cette nouvelle mouture – et même à cette nouvelle *nature* – de chansons qui n'existait pas encore, et que nous ferions exister ensemble. »

Et plus loin : « Renée Claude sera pour toujours inoubliable. Il faut lutter de toutes nos forces contre l'oubli, aussi bien l'oubli pathologique qui vide le cerveau que l'oubli culturel qui éteint les collectivités. Je l'entends nous chanter, ma très chère Renée Claude, même de si loin dans son oubli, qu'il faut dire non à l'oubli, qu'il n'y a pas de page blanche, pas si on répète encore et encore et encore : "Je me souviens." » Stéphane Venne quitte la scène, laissant le public étreint par l'émotion.

Retenu à Paris, Luc Plamondon, fidèle ami et parolier de Renée Claude, a demandé à Clémence de lire un texte. Après avoir évoqué sa rencontre avec elle et un voyage qu'il a fait en sa compagnie en Californie, il lui dit : « Ma chère Renée ! J'ai écrit pour toi 36 chansons en 36 ans, entre 1970 et 2006. La première s'appelle *J'ai besoin d'un grand amour* et la dernière *Ballade pour mes vieux jours*. Robert [Langevin] me dit que tu l'aimais beaucoup. Je suis avec toi et encore une fois Dédé

[André Gagnon] est avec nous. Porte-toi bien et sois heureuse dans tes Californie imaginaires. »

En effet, pendant qu'avait lieu ce spectacle, Renée Claude voyageait. Elle est allée en Pologne, en Grèce et en Belgique participer à de grands concours. Elle s'est ensuite rendue en Russie et au Japon pour chanter devant de nouveaux publics qu'elle voulait conquérir. Puis il y a eu la France, l'Italie, la Suisse, les États-Unis et tant d'autres pays. Entre chacun de ces voyages, elle est revenue au Québec. Elle a chanté à la Butte à Mathieu, à l'Auditorium Le Plateau, à la Comédie-Canadienne, à la Place des Arts et dans des centaines de salles et d'amphithéâtres partout en province.

Renée Claude ne cesse de voyager. Elle ne cesse de chanter pour son public. Pour lui, elle ne souhaite qu'une chose : trouver les meilleures chansons afin de le combler, de l'éblouir. Car, après tout, la chanson est le langage qu'elle maîtrise le mieux. C'est grâce à elle qu'elle arrive à dire qui elle est vraiment.

C'est par elle qu'elle a existé. Et qu'elle continuera d'exister.

Des éclairs en guise de projecteurs

EN CE 3 JUILLET 1939, LE MONDE RETIENT SON SOUFFLE. Les plus grandes puissances du monde se préparent au jeu abject de la guerre. En Pologne, les Allemands entrent depuis quelques jours à Dantzig en tant que « touristes ». À Moscou, des diplomates de Paris et Londres tentent de négocier une alliance avec la Russie, mais trouvent leur interlocuteur « difficile ». En Angleterre, le roi George VI et le premier ministre Chamberlain déclarent qu'ils sont prêts à faire face à toutes les éventualités, quels que soient les sacrifices que le pays doit s'imposer.

Pendant ce temps, au Canada, les délégués qui participent au 4e congrès de la Jeunesse se disent en faveur de la conscription si le pays venait à être attaqué, mais veulent voir abolir la loi qui permet au gouvernement fédéral d'envoyer les jeunes hommes au front sans avoir à soumettre la question devant le Parlement. Pour tenter d'oublier l'horrible drame qui se trame, on va au cinéma voir *La femme du boulanger* que vient de réaliser Marcel Pagnol. Tout en se caressant les mains dans la pénombre, les amoureux insouciants rient de l'accent de Raimu.

En ce 3 juillet 1939, le soleil tape fort sur le Plateau-Mont-Royal. Et c'est par cette journée cadencée d'éclairs et de quelques coups de tonnerre qu'a choisi de naître Marie-Suzy-Renée Bélanger. En fait, c'est plutôt Cécile, sa mère, qui a décidé du moment. Pour accommoder son mari qui ne peut s'absenter facilement de son travail, la jeune femme a très tôt, cette journée-là, reçu une cousine. Cette dernière lui a fait prendre de l'huile de ricin afin de provoquer les premières contractions. Ce truc que plusieurs redoutent fonctionne à merveille pour Cécile. Un médecin arrive quelques heures plus tard pour accueillir celle qui sera l'aînée de la famille.

« Conçue au bord du canal Lachine, je suis née sur la table de cuisine de la rue Saint-André parce que ma mère avait peur de l'hôpital, écrira des décennies plus tard Renée Claude dans un texte autobiographique. À midi pile, par une journée d'orage électrique et à l'aide de forceps, je vis le jour, ayant sûrement préféré rester bien au chaud dans le ventre de ma mère. »

Tout comme celle qui lui donne la vie (Cécile est née en 1914), la petite Renée vient au monde à l'orée d'une guerre. « Déjà je militais en faveur de la paix », écrit-elle dans le même texte. Il est en effet fascinant de voir que ce poupon qui a peine à pousser ses premiers cris sera, 30 ans plus tard, l'une des premières voix du Québec à réclamer la paix et l'harmonie dans le monde grâce à ses chansons.

L'arrivée de cette fille vient enrichir la lignée des Bélanger du Québec, dont la présence est liée à deux branches, celle du bouillant François et celle du tranquille Nicolas. Les deux ancêtres sont arrivés en Nouvelle-France au milieu du XVIIe siècle, à 20 ans d'intervalle. Jean Bélanger, le père de Renée, fait partie de la lignée de François. Ce dernier est décrit comme « actif et débrouillard », dans l'ouvrage *Nos ancêtres*, de Gérard Lebel et Jacques Saintonge. On dit aussi de lui qu'il est « tenace, autoritaire et violent ».

Parti de la Normandie vers 1634, il épouse à Québec, le 12 juillet 1637, Marie Guyon, née à Saint-Jean de Mortagne-au-Perche. La jeune épouse a 13 ans et le mari, 25. De leur union, 12 enfants viennent au monde. La famille vivra sur une terre de six arpents à Château-Richer. François Bélanger nourrira sa marmaille en exerçant le métier de maçon et de cultivateur.

Plusieurs décennies plus tard naît Léandre, l'arrière-grand-père de Renée Claude. Venu au monde le 28 mars 1848, il est notaire à Outremont et possède plusieurs propriétés dans le centre-sud de Montréal, là où se trouve de nos jours le Village gai. Deux mariages, dont le second avec Laura Viau, lui offrent 23 enfants. Sa carrière de juriste est couronnée du titre de président de la Chambre des notaires, poste qu'il occupe de 1898 à 1900.

Deux fils de Léandre marchent dans les traces de leur père et deviennent également des notaires, dont Adrien, le grand-père de Renée Claude. Celui-ci a sept enfants. Jean, le père de la future chanteuse, est l'aîné. «Notre père était parti pour faire de grandes études, mais la crise est arrivée, raconte Michel Bélanger, l'un des frères de Renée Claude. La famille a perdu beaucoup d'argent. Après ses études au Collège Brébeuf, il a dû s'arrêter là. »

Lorsque naît Renée, Jean fait carrière au sein de la Montreal Tramways Company, nom que portait à l'époque la Société de transport de Montréal. Il gravira les échelons jusqu'à devenir contremaître général, c'est-à-dire responsable de la maintenance des autobus de la métropole. Il occupera cette fonction jusqu'à sa retraite, dans les années 1970.

Mais avant d'entreprendre cette carrière, Jean mène sa vie de garçon. Comme ses parents occupent l'une des propriétés des Bélanger, dans la rue de la Visitation, le jeune homme repère un beau brin de fille de son quartier. Il prend l'habitude de fréquenter régulièrement un restaurant situé non loin du pont Jacques-Cartier. C'est là qu'il peut observer à sa guise Cécile Labissonnière, la fille des propriétaires. La jeune femme, dotée d'une forte personnalité, donne un coup de main à ses parents en vaquant à diverses tâches. Jean, alors âgé de 25 ans, craque pour cette beauté hollywoodienne qui a un an de moins que lui.

Des fréquentations s'enchaînent, et un mariage ne tarde pas. Il a lieu le 23 mai 1938. Le couple s'installe d'abord à LaSalle, puis dans la rue Saint-André, entre les rues Cherrier et Roy, durant une courte période. À cette époque, le Plateau-Mont-Royal n'a pas connu son embourgeoisement. C'est un quartier ouvrier avec toutefois des demeures cossues sur quelques artères, les rues Cherrier et Saint-Hubert notamment. Avec le parc La Fontaine en son centre, il est l'un des plus vivants et charmants de la ville.

L'arrivée de la petite Renée bouscule la vie du couple Bélanger, particulièrement celle de Jean qui doit s'occuper des soins du nourrisson. « Je connus le bonheur d'être maternée (si je puis dire) par mon père, plus habile que ma mère à langer un bébé, écrit Renée Claude. Ma mère prit le relais six mois plus tard, une fois que mon père lui eut enseigné l'art de prendre soin d'un bébé. »

Dans le Québec des années 1940, un homme qui enseigne à sa femme comment faire avec son bébé relève de l'hérésie. Pas chez les Bélanger. « Mon père avait vécu dans une grande famille, dit Richard Bélanger, le plus jeune frère de Renée Claude. Il savait s'y prendre. » Est-ce parce que Jean est le premier à s'occuper de Renée qu'un lien très fort unira, et pour toujours, le père et sa fille aînée ? Il est permis de le croire.

La famille qui s'agrandit rapidement emménage au 3457, rue Berri, près de la rue Cherrier. Renée, qui n'a pas encore deux ans, voit arriver son frère Michel (1941). Puis défilent dans l'ordre Christiane (1943), Normand (1948), Violette (1950) et, finalement, Richard (1956). Dix-sept ans séparent l'aînée du benjamin. Comme cela se fait couramment dans les familles du Québec, le petit dernier a comme marraine sa grande sœur.

«J'ai toujours adoré m'occuper de lui, dit-elle à propos de celui qu'elle aimait appeler Rickie. J'allais le chercher et on faisait des choses ensemble.» Lorsque dans les années 1960, elle chantera dans les boîtes à chansons situées en province, elle emmènera parfois le bambin. «Je me souviens d'une fois en particulier, à Port-Joli. Il était tout petit. Il assistait à chacun de mes spectacles.» Devenu adulte, Richard travaillera comme technicien de scène et ingénieur du son avec sa grande sœur.

Les valeurs familiales sont fortes chez les Bélanger. Les parents et les six enfants forment un clan. L'une des choses qui soudent les membres est la musique. Jean a conservé d'une brève expérience dans les cabarets la maîtrise du saxophone. Il joue également des ondes Martenot. Michel sait manier l'accordéon. «Je me souviens d'avoir vu mon père et Renée faire de la musique ensemble, raconte-t-il. Ma mère jouait du piano. Elle apprenait à l'oreille. Elle chantait très bien.»

En effet, Cécile est celle qui insuffle le plus le goût du théâtre et de la musique à ses enfants, particulièrement à Renée. Dotée d'une jolie voix, la matriarche a participé durant l'adolescence à des concours d'amateurs sous le nom de Josette France. Il ne fait aucun doute que la mère de la future Renée Claude avait souhaité mener une carrière dans le domaine du spectacle. Son charme et sa forte personnalité auraient bien évidemment facilité sa carrière. Cécile aime séduire les gens. Elle établit les contacts avec une aisance naturelle. En fait, elle est tout le contraire de sa fille Renée qui éprouve parfois en sa présence une certaine gêne. « Petite, j'aurais voulu que ma mère soit autrement, confie-t-elle, en 1994, à son ami et journaliste de *L'actualité*, André Ducharme. Son décolleté et le rouge de ses ongles me gênaient. »

Effacée, terriblement timide, Renée a une personnalité beaucoup plus proche de celle de son père. « La plupart des enfants Bélanger ont hérité du caractère de leur père, dit Robert Langevin, le conjoint de Renée Claude. C'était un homme réservé, introverti, à la limite taciturne. La mère pouvait se mettre à chanter comme ça, sans raison. Elle était sensuelle, elle faisait de l'œil à tout le monde, elle parlait au premier inconnu. »

Autodidacte, Cécile s'intéresse à plein de choses, notamment à l'histoire de l'Europe. Pour elle, la culture et le monde des connaissances doivent faire partie du bagage de ses enfants. Elle tient à ce qu'ils reçoivent une bonne éducation. « Malgré son peu d'instruction, ma mère était une femme très évoluée », dit Michel Bélanger.

Cécile désire l'épanouissement de ses enfants, et cela se fait d'abord à l'école Cherrier, située au coin des rues Cherrier et Saint-Hubert. Cette institution publique accueille les filles. Les garçons n'y sont admis qu'en première et deuxième année. À cette école, on porte un uniforme, un règlement auquel la petite Renée tente parfois de se soustraire. Déjà apparaît chez elle cette envie de ne pas se fondre dans la masse.

Sans aucune surprise, la matière préférée de Renée Bélanger est le français. La jeune fille est une élève appliquée et très sage qui obtient de bonnes notes. «Une année, j'ai été humiliée car j'ai obtenu "distinction" au lieu de "grande distinction"», se souvient-elle. À l'école, elle participe à des pièces de théâtre. Comme elle est brune, on lui fait jouer des rôles de garçons ou de diable. Cela la met en rogne. «J'aurais tellement préféré jouer la Vierge Marie, déclarera-t-elle des années plus tard lorsqu'elle fut l'invitée de Gaston L'Heureux, en 1984, à l'émission *Avis de recherche*. Mais je n'étais pas blonde.»

À l'école Cherrier, elle participe à des concours de chorales. Elle prend goût à la musique. Mais surtout, elle suit des cours de piano avec sœur Louis-Alexandre (Thérèse Brouillette). Elle se rend à ses leçons en passant par la porte qui donne sur la rue Saint-Hubert. La fillette traîne un lourd sac rempli de cahiers et de partitions. Elle y va parfois à reculons, préférant bien évidemment s'amuser avec ses copines. Mais Cécile insiste : elle tient mordicus à ce que sa fille reçoive une formation musicale. Cette mère bienveillante enseigne à ses enfants les vertus de la persévérance. «Lorsqu'on commence quelque chose, il faut aller jusqu'au bout», leur répétait-elle.

Invitée à l'émission *Avis de recherche*, sœur Louis-Alexandre a l'occasion de partager les doux souvenirs qu'elle a conservés de son élève. « C'était une jeune fille sur laquelle on pouvait compter. Quand on voit une élève qui a fait ses gammes, ses arpèges et qui a travaillé son Bach, on est très heureuse. » Pour cette religieuse, qui eut également comme élève le pianiste et compositeur François Cousineau, il est clair que Renée « était une artiste ».

Les talents de musicienne de l'aînée des Bélanger sont également remarqués par les membres de sa famille. « Elle jouait très bien du piano, dit son frère Michel. Sa formation était classique. Elle faisait surtout du Chopin et du Beethoven. » Même si elle n'est pas devenue une concertiste, l'apprentissage du piano demeurera fort utile pour la future vedette de la chanson.

Lors de l'émission *Avis de recherche*, Renée Claude a la chance de revoir ses anciennes camarades de classe de l'école Cherrier. Lorsqu'elles apparaissent en photo, elle n'a pas de mal à les identifier et prend plaisir à établir les liens entre elles. Cette émission permet à sa bonne amie d'enfance, Carmen Bergeron-Marois, de dire que Renée était « l'âme artistique de l'école ». Car, en plus d'apprendre le piano, la jeune fille se rend chaque semaine au Conservatoire Lassalle pour suivre des cours de diction et d'art dramatique.

Cette école, fondée par Eugène Lassalle au début du XXe siècle, a joué un rôle prépondérant dans la carrière de plusieurs comédiens québécois comme Janine Sutto, Jean Duceppe et Denise Pelletier. L'une de ses éminentes professeures claquera un jour la porte de l'institution pour ensuite créer son propre conservatoire. Il s'agit d'Yvonne Duckett, la célèbre Madame Audet. Mais au lieu d'envoyer ses enfants chez cette dernière, dont la résidence est située non loin de celle des Bélanger, Cécile choisit plutôt le Conservatoire Lassalle, qu'elle a fréquenté 25 ans auparavant.

Les enfants Bélanger vont au Conservatoire le samedi matin. Michel Bélanger se souvient d'y être allé en compagnie de sa grande sœur. Celle-ci a commencé vers 10 ans au programme des pupilles. Elle fait des saynètes, des monologues, des poèmes. Elle apprend à dire. Elle poursuivra le programme jusqu'à l'âge adulte.

Dans une entrevue publiée en 1965 dans la version québé-coise du magazine *Maclean*, Suzanne Paquette-Goyette, qui a assuré la direction du conservatoire pendant de nombreuses années, dit de son ancienne élève qu'elle est «une personne très sincère, très franche, mais qui ne parle pas pour rien». L'ancienne directrice se souvient que Renée a dû trimer dur pour vaincre sa timidité. «Elle travaillait parce que ça lui apportait quelque chose de personnel, dit-elle. C'est ce qu'on appelle une élève qui travaille avec intelligence.» Elle ajoute avec beaucoup d'assurance que Renée «restera toujours une personne secrète». L'ancienne directrice a vu juste.

Les Bélanger vivent confortablement, mais ne jettent pas l'argent par les fenêtres. Les parents veillent au budget. Les enfants ne manquent toutefois de rien. À Noël, les cadeaux

sont offerts le matin. Au réveil, tous découvrent de petites
gâteries dans leurs bas accrochés aux tiroirs du buffet de la
cuisine. Ils y trouvent une orange, des tablettes de chocolat...
Mais il y a aussi des présents. Renée se souvient d'avoir reçu
une année pas une, mais deux poupées. Une autre fois, en
revanche, quelle ne fut pas sa déception de recevoir des patins
de fantaisie noirs. Et de surcroît, qui avaient appartenu à
une tante.

Chez les Bélanger, on aime recevoir la parenté et les amis
à Noël et au jour de l'An. On sert de la dinde et une quantité
impressionnante de desserts. Le reste de l'année, toutes les
occasions sont bonnes pour tenir de joyeuses réunions familiales. « Ma mère organisait des soupers à chaque grande fête,
mais aussi pour chacun de nos anniversaires, raconte Michel
Bélanger. On a donc eu souvent l'occasion de se voir en famille. »

Les vacances pour les Bélanger se passent souvent à Plage-
Laval, une destination très populaire pour les vacanciers
montréalais. Grâce à des promoteurs américains, un village
d'été est créé aux abords de la rivière des Mille-Îles à l'endroit
où se trouve aujourd'hui Laval-Ouest.

Un esprit de famille très fort se développe. Les parents, les
frères et les sœurs de Renée auront toujours une grande
importance pour elle. Cette famille est son point d'ancrage.
Les personnes les plus importantes qui traverseront la vie de
la chanteuse auront le bonheur de pénétrer dans ce joyeux
cercle. « Renée a toujours adulé ses parents, dit son conjoint

Robert Langevin. Ils ont toujours été là pour l'aider et l'épauler dans les moments difficiles. Elle était comme son père. Sa famille comptait beaucoup pour lui. C'est la même chose pour Renée.»

En juillet 1967, alors que la carrière de l'aînée est bien amorcée, l'hebdomadaire *Échos Vedettes* consacre deux pages à la famille Bélanger. Une douzaine de photos montrent les membres du clan lors d'une réunion. Tout le monde se prête au jeu, esquissant même quelques pas de danse à gogo pour le photographe. De son côté, le petit Richard sort sa guitare pour impressionner la journaliste.

Vers l'âge de 12 ans, comme la plupart des fillettes de son âge, Renée ne se trouve pas belle. À cela s'ajoute une gaucherie facilement observable qui lui donne un côté «vilain petit canard». Pour le *Journal des vedettes* qui, au milieu des années 1960, lui demande de rédiger le premier chapitre de son autobiographie, elle décrit ainsi son enfance. «Complexée, timide à l'excès, maladroite, je redoutais les heures de classe, les professeurs sévères et les responsabilités scolaires. Je renversais l'eau sur le pupitre de l'institutrice quand elle me confiait ses plantes à arroser, je faisais tomber le store par terre quand on me demandait de le remonter et je pleurais si on me parlait trop fort.»

Pour apaiser ses angoisses d'adolescente, Renée peut compter sur des amies fiables. En plus de fréquenter Carmen Bergeron, la jeune fille nourrit une amitié avec Lise Gauthier.

Le trio aime aller patiner. Les confidences vont bon train. « Carmen et moi avions toutes les deux un père sauvage et une mère hyper sociable, raconte Renée Claude. Et quand nos parents avaient des disputes, c'était toujours à cause de cette différence de traits de caractère. »

Il arrive en effet à Jean et Cécile de se bouder pendant des jours. Renée vit à ce moment-là une certaine angoisse. Elle craint une séparation. Un jour, Cécile décide de montrer à Jean qu'il a une « bonne femme » entre les mains et qu'il devrait lui montrer plus souvent son appréciation.

« Elle m'a dit : "Va m'acheter des cigarettes !" raconte Renée Claude. Ma mère ne fumait pas. Elle a attendu son arrivée du travail en prenant un verre de vin et en fumant une cigarette. Elle s'étouffait. C'était d'un comique ! Du vrai cirque ! On aurait dit une scène écrite par Michel Tremblay. »

Alors qu'elle découvre du haut de ses 14 ans les défis de la vie de couple, Renée connaît ses premiers béguins. Avec ses copines Lise et Carmen, elle participe à des fêtes où les garçons de l'école Le Plateau sont invités. « On dansait des vites, mais on avait très hâte au plain », dit Renée Claude. Elle a un premier ami de cœur à 15 ans. Elle l'accompagne à une fête du jour de l'An. « À un moment donné, il m'a embrassée et a sorti sa langue. Moi qui avais peur d'aller en enfer, je l'ai repoussé. Il m'a dit : "Si c'est comme ça..." Notre relation a pris fin à ce moment-là. »

Les « mystères de la vie » ne restent pas longtemps mystérieux pour Renée. Une amie plus âgée qu'elle lui confie un jour avoir ses menstruations. À la maison, Renée tarabuste sa mère avec ses questions. Cette dernière ne se défile pas et répond franchement à sa fille.

Renée Bélanger a envie de quitter le monde de l'enfance. Elle est pressée de vivre des choses exaltantes. Elle devine qu'elles ne sont pas loin.

Mesdames, messieurs, voici Renée Bélanger !

À 15 ANS, RENÉE BÉLANGER EST UNE ADOLESCENTE RÊVEUSE et romantique. Influencée et nourrie par le courant français davantage que par celui qui vient des États-Unis, elle se coupe elle-même les cheveux, porte des mocassins et s'invente un look à la Saint-Germain-des-Prés. Alors que les jeunes de son âge assistent avec enthousiasme à l'arrivée du rock'n'roll avec Chuck Berry, Fats Domino et Little Richard, la jeune Renée trouve refuge dans le monde des rêves.

Dans des journaux intimes qu'elle ferme à clé, elle couche ses pensées sombres. Plus tard, au hasard d'un déménagement, elle relira certains passages. Tous dépeignent des déceptions. La jeune fille aime être seule. C'est là qu'elle peut le mieux s'évader, s'adonner à la lecture ou à l'écoute de la musique. La timidité, une terrible timidité, l'amène à s'isoler. À cette époque, la simple idée de monter à bord d'un autobus et d'y subir le regard des autres passagers la terrorise.

« Ma sœur a toujours été une jeune fille très sage », dit Michel Bélanger. Cette façon d'être avec les autres fausse l'image que l'on peut se faire d'elle. Dans le documentaire *Un cœur apaisé*, diffusé dans le cadre des Grands reportages sur ICI RDI en 2013, Renée Claude revient sur cette foutue timidité qui la paralyse. « Je passais pour quelqu'un de froid et de distant parce que, par gêne, je n'étais pas capable de sourire. Je souriais très peu, très mal. »

Et il y a aussi ce terrible manque de confiance qu'elle porte en elle et avec lequel elle doit apprendre à vivre. « Les parents de Renée n'étaient pas du genre à valoriser leurs enfants par des compliments, dit Robert Langevin. J'ai toujours pensé que Renée avait un manque de confiance en elle à cause de cela. »

L'adolescente qu'elle est doit également composer avec le difficile poids qui pèse sur les épaules des aînés d'une famille. « Ça donne des responsabilités morales, confiera-t-elle en 1984, à l'animateur Gaston L'Heureux. Souvent, mes parents me citaient en exemple : "Regardez votre sœur !" Ça m'a même bloquée un certain temps. Pendant longtemps, je sentais qu'il ne fallait pas que je me trompe. »

Mal dans sa peau, scrutant et évaluant la moindre transformation de son corps, la jeune Renée nourrit malgré tout l'espoir d'appartenir un jour au monde des arts. Comédienne ? Chanteuse ? Elle ne le sait pas. Sa mère alimente ce rêve en lui faisant prendre des cours de piano à l'École Vincent-d'Indy et en l'encourageant à poursuivre son apprentissage du théâtre au Conservatoire Lassalle.

Alors qu'elle devrait jeter son dévolu sur les chanteuses en vogue à cette époque – Catherine Sauvage, Dalida ou Juliette Gréco –, c'est un homme qui lui offre la terre glaise nécessaire à la matérialisation de ses aspirations. Au printemps 1955, Gilbert Bécaud est l'idole de milliers de jeunes filles. Ce gringalet énergique sème l'hystérie partout sur son passage. Cette folie s'étend jusqu'au Québec. Et parmi ses nombreuses et ferventes admiratrices, il y a Renée Bélanger.

Lorsque l'adolescente apprend que son chanteur préféré vient donner une série de spectacles au Théâtre St-Denis, elle exulte. En effet, celui que l'on présente comme «l'idole de Paris» s'installe pendant une semaine dans ce théâtre à partir du 16 avril. «Plus étonnant que Sinatra, plus dynamique que Johnnie Ray», clame la publicité que la jeune Renée voit sans doute dans les journaux.

Il est prévu que la nouvelle coqueluche des adolescentes ne donnera pas moins de trois spectacles par jour, soit à 14 h 45, 17 h 45 et 20 h 45. Même s'il n'a pas encore le surnom de Monsieur 100 000 volts, le jeune Bécaud démontre qu'il le mérite déjà amplement. L'objectif de Renée devient alors de réunir suffisamment d'argent pour aller voir le plus de fois possible le chanteur qui la fait tant vibrer. Elle assiste finalement à sept représentations.

À chacune d'elles, elle boit les paroles de celui qui a fait des ravages, quelques mois plus tôt, à L'Olympia de Paris. On a même rapporté dans les journaux que des spectateurs, devenus incontrôlables, ont brisé des fauteuils. À Montréal, Renée se contente d'applaudir à tout rompre la vedette et d'enregistrer chacun de ses gestes. Elle étudie minutieusement la façon théâtrale qu'il a de jouer et de rendre ses chansons.

À cette époque, Renée s'est mis dans la tête de participer à des concours d'amateurs qui sont présentés à la radio. Elle va aux *Étoiles de demain*, à CKVL, et aux *Invités de Jean Duceppe*, à CKAC. Elle s'inscrit également aux *Découvertes de Billy Munro*, une émission-concours très populaire retransmise sur les ondes de CKVL, les dimanches à 12 h 30, en direct du Théâtre Amherst. C'est grâce à ce concours que des artistes comme Fernand Gignac et Pierre Senécal se sont fait connaître.

Commanditée par la cire Succès, «la reine des cires», l'émission est animée par Léon Lachance et bénéficie de la présence du pianiste québécois Billy Munro. Après avoir étudié la musique à Londres, ce musicien et compositeur a vécu aux États-Unis où il fut pianiste pour les films muets et dans des orchestres de danse. Sa composition la plus célèbre demeure *When My Baby Smiles at Me* popularisée par Bing Crosby. De retour à Montréal dans les années 1940, il fait carrière dans des orchestres et connaît la consécration en se voyant confier une émission portant son nom.

Celui que l'on surnomme «le fantôme au clavier» tellement il demeure discret, assis derrière son piano, forme un trio avec un contrebassiste et un batteur. L'ensemble accompagne les participants qui viennent offrir un répertoire très varié. La timide Renée s'inscrit au concours sans en parler à ses parents. Sélectionnée, elle n'a pas le choix de les prévenir de sa présence à la populaire émission. En bon père protecteur, Jean décide d'accompagner sa fille. Il se rend au Théâtre Amherst en compagnie de son fils Michel. Quant à Cécile, elle reste à la maison et écoute nerveusement l'émission à la radio.

Renée y présente trois chansons de Gilbert Bécaud tirées du disque *Quand tu danses*, soit *Mé qué mé qué*, *Viens* et *Les croix*. Elle a répété les chansons pendant des semaines, en cachette, dans sa chambre. Devant le public et le jury, elle reprend chacun des gestes de son idole. « Je l'imitais, dit-elle dans une entrevue publiée 10 ans plus tard dans le *Maclean*. Ça devait être affreux. » À l'émission *Avis de recherche*, Jean Bélanger se rappelle que son cœur « battait fort » lors de cette fameuse prestation : « Pendant qu'elle chantait *Les croix*, les gens se sont mis à applaudir. J'ai alors senti qu'elle était dans son élément. »

Dans le Québec de 1955, qui ne sait pas qu'il aura bientôt affaire à la fameuse Révolution tranquille, on peut imaginer l'effet qu'a la chanson *Les croix* qu'interprète la jeune fille. « Et moi, pauvre de moi/J'ai ma croix dans la tête/Immense croix de plomb/Vaste comme l'amour/J'y accroche le vent/J'y retiens la tempête/J'y prolonge le soir et j'y cache le jour. »

Au terme de cette prestation, Renée remporte haut la main le premier prix. « Je me souviens qu'elle avait gagné un voyage à New York et une montre Roamer, raconte son frère

Michel. Mais, pour mes parents, il n'était pas question qu'elle aille à New York. Ils ont monnayé son voyage. Le montant que j'ai en tête est 25 $. » Quelques mois plus tard, à la demande de CKVL, elle se présente une seconde fois et gagne de nouveau le concours. « Ma mère se laisse alors convaincre que sa fille a peut-être du talent », dit Michel Bélanger.

Pendant un certain temps, elle chante les dimanches après-midi dans des cabarets où l'on embauche les gagnants de ces concours radiophoniques. Une fois de plus, Jean veille sur sa fille. « Mon père était d'accord pour qu'elle chante dans ces lieux, mais il ne voulait pas qu'elle y aille seule, même un dimanche après-midi, se souvient Michel Bélanger. Il a posé comme condition d'être présent. »

Ces apparitions fournissent à la jeune fille ses premières expériences de scène. Elle chante des chansons d'Aznavour et, bien sûr, de Bécaud, qu'elle retournera voir en spectacle lors de son passage à Montréal en 1957 et qui la décevra grandement. Pour la jeune femme, c'est déjà de la redite. Ces engagements dans de petits cabarets ne font pas long feu. Elle se lasse vite de ces éprouvantes prestations.

Alors que Renée fait cette incursion dans le domaine du spectacle, elle se met à fréquenter un jeune homme de trois ans son aîné. Elle fait la connaissance de Gilles Morin à l'église où elle « touche de l'harmonium ». Le garçon est attentionné. Les deux amoureux ont plusieurs points en commun. Ils partagent les mêmes goûts musicaux. On parlera rapidement de

mariage. Renée, qui s'apprête à terminer ses études secondaires, se verra bientôt offrir un emploi comme commis de
bureau.

Un scénario idyllique se dessine. Il convient à tout le monde.
Sauf à la principale concernée.

La plus belle des prescriptions

LA CRÉATION DU VIADUC BERRI-SHERBROOKE AU MILIEU DES années 1950, en plein cœur de Montréal, chamboule la vie des Bélanger. La construction du passage et d'immenses tours d'appartements oblige le clan à abandonner la maison familiale et à déménager. Jean et Cécile Bélanger font l'acquisition d'une résidence à Outremont, sur l'avenue Querbes. Elle deviendra, à partir de là, le port d'attache de la famille.

À la fin de ses études secondaires, qui ont lieu à l'école Marie-Immaculée dirigée par les sœurs des Saints-Noms de Jésus et de Marie, rue Marie-Anne, Renée est engagée comme secrétaire à la Commission des écoles catholiques de Montréal. À 17 ans, sans aucune formation particulière, sauf la maîtrise de la dactylo, elle est embauchée au Service des achats. La jeune femme accepte ce premier emploi sans aucun enthousiasme.

Heureusement, les cours pour adultes du Conservatoire Lassalle lui procurent satisfaction et enchantement. Elle y côtoie des gens qui mèneront plus tard une belle carrière au théâtre et à la télévision, entre autres Aubert Pallascio et Benoît Girard. Renée s'applique et travaille fort. Son ancienne camarade de classe, Claude Montpetit-Fortier, qui se rend aux cours avec Renée en autobus, raconte à l'émission *Avis de recherche* qu'elle avait l'habitude d'être toujours bonne première. Sauf que, à la quatrième et dernière année du programme pour adultes, la directrice lui a dit qu'elle avait été paresseuse et que c'est Renée qui allait obtenir le premier rang.

Après l'obtention de son diplôme du Conservatoire Lassalle, Renée Bélanger s'inscrit à des cours de théâtre avec Paul Hébert. Le comédien à la voix grave trouve son élève «taciturne», mais il admire sa persévérance et «l'exigence qu'elle a envers elle-même», déclarera-t-il dans une entrevue publiée dans le magazine *Maclean*, en 1965. «Paul Hébert m'a libérée, ajoute Renée Claude dans ce même reportage. Il m'a apporté la confiance qu'il me manquait.»

Le bonheur que procure cette formation artistique à la jeune femme est à l'opposé du calvaire qu'elle vit tous les matins alors qu'elle doit se rendre au travail. «Je faisais du classement [...] et je rédigeais des adresses sur des enveloppes. Je m'ennuyais royalement. J'étais souvent distraite et je chantais des chansons tout bas. J'haïssais tellement ça que je me disais que, l'enfer, c'était exactement ça. Je ne pouvais pas m'imaginer qu'il y avait autant de gens dans la vie qui faisaient un métier qu'ils n'aimaient pas.»

Après deux ans à l'emploi de la Commission des écoles catholiques de Montréal, Renée Bélanger souffre d'insomnie et de problèmes de digestion. «J'étais devenue agressive, racontera-t-elle plus tard. C'était rendu que je poussais les gens dans l'autobus. J'en voulais au monde entier.» Le projet de mariage avec Gilles Morin contribue à accentuer son stress. «J'étais entraînée dans une affaire dont je ne savais comment me défaire. Je réalisais que j'allais épouser un homme que je n'aimais pas. Mais, en même temps, je n'avais aucune expérience en amour. Je ne savais pas trop ce qui se passait.»

Au travail, elle pleure constamment. On lui dit de retourner chez elle. «J'étais d'une maigreur, c'était effrayant.» Jean et Cécile voient bien que leur fille est en train de faire une dépression. On lui prescrit diverses pilules. Réalisant un jour qu'à son jeune âge elle disposait d'autant de fioles que sa grand-mère, elle prend la décision de mettre un stop à cela. Désespéré, son père l'amène voir un médecin en qui il a confiance. En sanglots, Renée est incapable d'exprimer le mal qui l'afflige.

«Renée m'a raconté que le docteur s'est tourné vers M. Bélanger et lui a demandé : "Mais qu'est-ce qu'elle aime faire dans la vie, cette petite fille-là ?" raconte Robert Langevin. Son père a dit : "Elle veut chanter!" Et le médecin a alors déclaré le plus simplement du monde : "Alors qu'elle chante!"» Ces paroles sont sans doute parmi les plus lumineuses que Renée Claude ait entendues au cours de sa vie. Elles font en sorte que la coupure tant souhaitée se produise. «C'était cela ou je finissais mes jours à l'asile», dira-t-elle des années plus tard.

En février 1966, lorsqu'elle fera ses débuts à la Comédie-Canadienne, Renée Claude reviendra sur ce moment charnière de sa vie en le décrivant de manière absolument charmante dans le programme du spectacle. « Le médecin vint. Sans seringue, sans remède breveté, mais avec une forte dose de bon sens, il dit à mon père : " Sa maladie, c'est de ne pas faire ce qu'elle aime faire ! " J'ai mordu à l'hameçon comme une truite affamée ! »

Cette visite dans le cabinet de ce docteur sage et clairvoyant marque un tournant majeur dans la vie de Renée Claude. « C'est étrange, car c'est comme si je ne m'étais jamais donné la permission de chanter, et ce conseil du médecin était une permission, dit-elle. On est ressortis de là sans aucune prescription, mais avec la bénédiction que je pouvais chanter. »

Dans un reportage diffusé dans le cadre de l'émission *Jeunesse oblige*, au milieu des années 1960, alors que sa carrière est amorcée, Renée Claude répétera à quel point elle souhaitait très fort se débarrasser de cette vie dont elle ne voulait pas. « J'ai toujours eu au fond de moi l'envie de faire de la chanson, d'être comédienne ou quelque chose du genre, sauf que je n'osais pas me l'avouer. Je pensais que ce n'était pas pour moi, que je n'étais pas à la hauteur de la situation. »

Pendant un certain temps, Renée vit de prestations d'assurance-chômage qui lui permettent de payer ses « tramways et ses bas de nylon ». Elle consacre ses journées à répéter des chansons. Elle achète des partitions et travaille des œuvres de Ferré, Brassens et Béart. «Je trouvais que le choix de partitions était mince chez nous. J'écrivais aux éditeurs en France. Je mentais en disant que j'étais une chanteuse professionnelle. Ils m'envoyaient des feuilles de musique gratuitement.» Il est fascinant de voir que cette quête de la chanson bien faite, bien écrite, qui saura rejoindre le cœur du public, la chanteuse l'entreprend dès le plus jeune âge.

Cet amour des mots, elle le nourrit par les nombreuses lectures auxquelles elle s'adonne. Déjà, très jeune, il y a autour d'elle des romans. Ses goûts sont aussi variés que précis, allant de François Mauriac à Julien Green, en passant par Norman Mailer et, plus tard, Marie-Claire Blais. La lecture aura toujours une place très importante dans la vie de l'interprète.

Chez les Bélanger, la voix de Renée, qui reprend sans relâche les couplets des auteurs-compositeurs français, fait partie des habitudes de la maison. Elle contribue à l'ambiance joyeuse qui règne dans la résidence de l'avenue Querbes. Les mots de Brassens, Ferré, Aznavour ou d'autres sortent de la bouche de la future vedette, parfois gauchement, mais toujours avec passion. «Mon petit frère Richard avait trois ans, racontera plus tard Renée Claude. C'était un enfant assez agité. Mais quand je chantais, il devenait calme.»

En plus des cours de théâtre avec Paul Hébert, elle travaille sa technique vocale avec Louise Darios. Cette chanteuse et comédienne, née à Paris et d'origine péruvienne par son père, débarque à Montréal au milieu des années 1940. Ses tours de chant contribuent à faire connaître les grandes chansons françaises, mais aussi la musique sud-américaine. L'école de la chanson qu'elle crée voit défiler des centaines d'élèves, dont Renée Bélanger. Au bout de trois mois de formation, Louise Darios dit à l'artiste en herbe : « Vous perdez votre temps ici, ma pauvre enfant ! Allez à Radio-Canada. » C'est ce que fait Renée.

À l'émission *Ils parlent et chantent*, diffusée en 1965 à la radio de Radio-Canada, Renée Claude rend hommage aux deux anges gardiens qui ont joué un rôle important pour elle au début de sa carrière. « Personne ne m'a vraiment aidée à réussir, personne ne m'a fabriquée. Je ne veux pas paraître prétentieuse, mais j'ai démarré seule. Évidemment, il y a des gens qui m'ont donné un coup de pouce, je pense à Louise Darios et Paul Hébert. Mais il faut beaucoup d'ambition et de ténacité pour réussir dans ce métier, et j'en ai. »

Celle qui a l'élégance de ne pas afficher son ambition dévorante se met en tête d'obtenir un rendez-vous auprès de ceux qui ont le pouvoir de transformer, ou non, la vie des jeunes artistes : les réalisateurs de Radio-Canada. Ce fameux sésame que tous les aspirants chanteurs tentent d'obtenir passe par une audition. Cette tradition, immortalisée dans le monologue *Ce que toute jeune débutante devrait savoir*, de Clémence DesRochers, était un passage obligé. La préparation qui précède cette audition est évidemment accompagnée d'un énorme stress.

Renée Claude obtient un rendez-vous en décembre 1959. Elle s'y rend et présente *Poste restante* et *Chandernagor*, de Guy Béart et *La rose tatouée*, la chanson-thème de *The Rose Tattoo*, film réalisé d'après la pièce de Tennessee Williams. Elle sait que cette épreuve est déterminante. « Je me disais en moi-même qu'il ne fallait absolument pas rater ce coup, sinon c'en était fait de moi et de ma carrière, raconte-t-elle à un journaliste de *Télé-Radiomonde* quelques semaines après cette épreuve. Pourtant, je ne parvenais pas à m'apaiser [...] Je sentais les gouttes d'eau glacée couler le long de mon dos, mes genoux pliaient. Bref, je me sentais prête à éclater en sanglots. Encore aujourd'hui, j'ignore comment j'ai pu surmonter cette expérience. »

Cette première grande étape est capitale pour Renée Claude. Elle l'oblige à faire un geste symbolique : troquer son nom contre un autre plus accrocheur, plus soyeux, plus « artistique ». Elle ne sera plus Renée Bélanger. Elle sera encore moins Mme Gilles Morin. Après avoir utilisé pendant un certain temps le nom de Renée Gilbert, un clin d'œil à celui qui fut momentanément son idole, elle opte finalement pour Renée Claude.

Elle ne sait pas alors la résonance que ce nom aura un jour, qu'il apparaîtra sur les marquises des théâtres, dans les programmes de spectacle et sur de nombreuses pochettes de disque. Elle ne sait pas qu'il sera transformé plus tard, dans les années 1970 et 1980, en prénom de jeunes filles par des parents devenus des admirateurs. Elle ne sait pas tout cela. Mais elle se donne tous les moyens d'y croire.

Cette vie dont elle ne veut pas

PEU DE TEMPS APRÈS SON AUDITION À RADIO-CANADA, LA première porte s'ouvre. On l'invite à participer à l'émission *Chez Clémence* animée par Clémence DesRochers et réalisée par Jean Bissonnette. Vingt ans très exactement avant que Renée Claude lui rende hommage dans un spectacle bâti autour de son œuvre, Clémence entre dans la vie de la chanteuse. « Cette émission durait un quart d'heure, raconte l'auteure de *La vie d'factrie*. On faisait des sketches et des numéros musicaux. Renée est venue à quelques reprises. » Lors d'une de ces apparitions, Renée Claude chante *La chasse aux papillons*, de Georges Brassens, et *Chandernagor*, de Guy Béart. Le public découvre alors cette voix qualifiée un jour « d'hydromel » par sa grande amie Hélène Pedneault.

Le 28 mai 1960, le mariage entre Renée Claude et Gilles Morin est célébré à Outremont. Musicien à ses heures, l'époux est surtout graphiste pour des publications artistiques. Pour lui, la jeune épouse, alors âgée de 20 ans, joue à l'occasion au mannequin et apparaît dans quelques journaux. Le couple emménage dans un appartement de la rue Saint-Marc. « Le jour de mon mariage, c'était comme un cauchemar. Je me disais que ce n'était pas moi qui faisais cela et que j'allais me réveiller. Ce n'est pas un bon souvenir... J'ai toujours eu du mal à prendre des décisions. Il fallait toujours que j'aie le nez dans la merde pour réagir. Ce mariage a été la même chose. »

L'alliance glissée au doigt, Renée Claude n'a pas du tout envie de jouer à l'épouse modèle. Cette « bagomane » invétérée dira un jour avec beaucoup d'humour qu'elle aime porter des bagues à chaque doigt, sauf à l'annulaire gauche.

Dans les mois qui suivent son passage *Chez Clémence*, elle est invitée à la populaire émission *Music Hall*, animée à cette occasion par Pierre Dudan. Le 16 octobre, elle partage le plateau avec les chanteurs classiques Richard Verreau et Claudette Bergeron, de même qu'avec la comédienne Lucienne Letondal. À la suite de ce passage où elle revisite Béart et Brassens, le journaliste Jean-Marc Provost de *Télé-Radiomonde* fait part de son enthousiasme débordant. « Renée Claude n'est pas de celles que l'on oublie rapidement. Elle laisse derrière elle des centaines de gens épris qui se chargeront de lui faire une réputation fort enviable. Renée Claude est passée et reviendra ; on tapera des mains, des pieds ; on criera jusqu'à ce qu'on nous la redonne. »

Il faut croire que certains ont tapé des mains et des pieds, car, quelques mois plus tard, on la voit à *G. M. vous invite*, une émission de variétés présentée par Yoland Guérard, où elle chante *Le temps du plastique*, de Léo Ferré, et *Il était une oie*, de

Serge Gainsbourg. Ce dernier choix a été popularisé en France par Michèle Arnaud, Catherine Sauvage et Juliette Gréco. À la radio, elle va à l'émission *En quête de chansons*. Elle rencontre d'autres réalisateurs. Elle passe également des auditions comme comédienne et décroche en 1961 une figuration dans *Sous le signe du lion*, téléroman de Françoise Loranger.

Ces expériences procurent une certaine confiance à la jeune femme. Elle franchit toutefois chacune des étapes sans bousculer les choses. Il est renversant de voir que, dès le départ, Renée Claude prend des décisions en accord avec sa personnalité et ses aspirations. « Un réalisateur m'avait fait chanter *La chasse aux papillons* et trouvait que ça ne *swinguait* pas beaucoup. Il m'a demandé de revoir les arrangements. J'étais scandalisée. J'étais très puriste. » En effet, la chanteuse de 21 ans ne craint pas de dire haut et fort, déjà à cette époque, que la « chanson populaire » ne l'intéresse pas une seconde. Elle recherche d'abord et avant tout des chansons « poétiques et intelligentes ». La manière Renée Claude s'installe : pas de concession pour la chanson !

Au moment où Renée Claude amorce sa carrière, on désigne la catégorie d'interprètes féminines dont elle fait partie par le terme de « diseuses ». Rattachées à la tradition des caf'conc' parisiens et des chanteuses réalistes à la diction appuyée, les diseuses englobaient beaucoup d'interprètes au Québec. Dans les descriptifs des émissions que présente Radio-Canada à cette époque, c'est ainsi que l'on qualifie Lucille Dumont, Monique Gaube, Gaétane Létourneau, Denise Filiatrault,

Dominique Michel, Lucille Serval et Fernande Giroux. «Je ne crois pas qu'une diseuse était toujours une diseuse, explique l'animatrice Monique Giroux. Certaines, dont Renée Claude, ont su rapidement apporter une théâtralité à leur interprétation. »

Monique Giroux fait référence à ce qu'il est convenu d'appeler la «sainte Trinité» des interprètes féminines québécoises qui a émergé dans les années 1950 et au début des années 1960 : ce trio est composé de Pauline Julien, Monique Leyrac et Renée Claude. Connues du grand public presque en même temps, ces trois artistes ont fortement marqué le métier d'interprète chez nous.

Pour Michel Tremblay, qui a signé plus tard quelques chansons pour Renée Claude, l'arrivée de ce trio féminin a changé beaucoup de choses au Québec. «J'ai toujours aimé les actrices qui chantent. Et ces trois femmes représentaient cela. Lucille Dumont ou d'autres étaient des diseuses, mais Renée Claude, Pauline Julien et Monique Leyrac étaient plus que ça. Elles faisaient plus que dire, elles avaient une intelligence du texte. »

Même si elles ont emprunté des chemins différents, ces trois artistes féminines ont en commun d'avoir privilégié, dès le début de leur carrière, des créateurs d'ici. «On est obligé de rassembler ces trois femmes, dit le compositeur François Dompierre. Ce sont celles qui ont le plus véhiculé la chanson québécoise à cette époque. Et elles ont fait toutes les trois d'excellents choix. »

Dans le témoignage qu'elle fait en 2008, lors de la Soirée Hommage Québecor organisée pour Renée Claude, son amie et ex-agente Hélène Pedneault n'hésite pas à dire ceci: «S'il n'y avait pas eu Monique Leyrac, Pauline Julien et Renée Claude, la chanson québécoise aurait mis un peu plus de temps à venir au monde.»

Suivies de près par Diane Dufresne, Louise Forestier et d'autres, ces trois femmes ont été de véritables pionnières. «Quand on y pense, La Bolduc les précède de 30 ans, dit Monique Giroux. C'est hallucinant! Elles ont tout à faire, tout à inventer. Mais comme ce sont des interprètes, elles doivent forcément trouver des auteurs. Elles doivent avoir ce flair, cet instinct et, surtout, cette volonté.»

Ce flair et cet instinct qui permettent de repérer une bonne chanson est l'une des grandes qualités de Renée Claude. Quand on plonge dans son impressionnante discographie, on est frappé par l'évidente qualité des œuvres qu'elle a interprétées durant sa carrière. «Renée avait un atout: elle savait bien choisir ses chansons et ceux qui les faisaient, dit son frère Michel. Elle ne chantait pas n'importe quoi. Elle était très exigeante là-dessus. Elle aimait créer de nouvelles chansons. Elle voulait avoir des chansons que les autres n'avaient pas chantées.»

À une époque où le métier d'imprésario n'existe pas au Québec, les artistes, particulièrement les interprètes, sont laissés à eux-mêmes. C'est sur leurs épaules que reposent plusieurs décisions, dont celle du choix du matériel. Même plus tard, lorsqu'elle aura des agents, elle se fera un devoir de choisir elle-même ses chansons et ceux qui les composent. « Le choix des auteurs et des compositeurs était très important pour Renée, dit Louise Forestier. Elle savait ce qu'elle voulait. Elle a toujours eu un très beau répertoire. »

Alors qu'elle devient une habituée des studios de télévision, elle adopte le look de la fameuse petite robe noire. Elle expliquera un jour ce choix de façon toute simple : « C'est pour forcer les gens à écouter mes chansons », dit-elle à un journaliste du *Courrier de Saint-Hyacinthe,* en 1965. À cela s'ajoutent des yeux généreusement charbonnés au crayon noir, une frange lisse et des cheveux gonflés à l'égyptienne. À partir de là, et pour toujours, elle maîtrisera l'art de choisir des vêtements où les fautes de goût n'ont pas leur place. Renée Claude a fait sienne cette phrase fabuleuse de Jean Cocteau : « L'élégance cesse si on la remarque. »

Le début des années 1960 voit fleurir les fameuses boîtes à chansons, ces cocons douillets ayant pour décor des filets de pêche suspendus au plafond et des bouteilles de vin transformées en bougeoirs sur les tables. Georges Dor ne les décrit-il pas comme des « maisons » et des « coquillages » dans sa chanson *Une boîte à chansons* ?

On trouve partout de ces boîtes au Québec, de la Gaspésie aux Laurentides. Elles ont pour noms La Lucarne, Café Carcajou, Le Vieux Fanal ou Le Moulin à Fuseaux. Les plus populaires sont La Butte à Mathieu, à Val-David, La Boîte à chansons de La Porte Saint-Jean, à Québec, et Le Patriote, à Montréal. Pouvant accueillir de 100 à 200 personnes, ces lieux sont souvent d'anciens moulins ou phares, quand ils ne sont pas carrément des granges. « On sortait la vache et on laissait entrer l'artiste », aime à dire Clémence DesRochers.

Les noms de Gilles Vigneault, Clémence DesRochers, Jean-Pierre Ferland, Claude Gauthier, Hervé Brousseau, Tex Lecor, Raymond Lévesque, Pauline Julien, Sylvain Lelièvre, Pierre Létourneau et Pierre Calvé ornent les affiches de ces boîtes. « On faisait trois *shows* par soir, on finissait vers 3 heures du matin, se souvient Clémence DesRochers. Au dernier *show*, toute la fumée venait vers nous. C'était effrayant. »

C'est dans ces boîtes à chansons que Renée Claude connaît ses premières véritables expériences de scène. Avec le pianiste Jacques Fortier, l'interprète se constitue un répertoire composé de chansons de Brassens, Brel, Béart, Ferré et Gainsbourg. Devant Gérald Lachance, animateur à Radio-Canada, elle explique en 1962 sa préférence pour ces auteurs-compositeurs. « Au départ, je les fais parce que ça me plaît de les faire. Après, je tente de conquérir le public avec ces chansons, car certaines sont difficiles à faire passer. Si je chante, c'est qu'il y a une raison. J'ai envie de faire ces chansons. Sinon c'est inutile de chanter », dit-elle avec un accent pointu que d'aucuns pourraient qualifier « d'emprunté ».

Clémence, l'archange fidèle, l'invite à faire sa première partie à la Page Blanche, l'une des boîtes que possède Gérard Thibault à Québec. Lors de cette série d'engagements, elle fait la rencontre d'un auteur qui vit dans la région de la Vieille Capitale. Il est professeur de français et d'algèbre, cette dernière matière en étant une que la jeune Renée a lamentablement échouée à la fin de son secondaire. Mais il écrit également des chansons. Il se nomme Gilles Vigneault.

Le premier engagement sérieux de Renée Claude a lieu lors d'un spectacle que donne Félix Leclerc à l'Université de Montréal, en octobre 1961, et pour lequel elle assure la première partie avec Claude Gauthier. Un compte rendu de la soirée est publié dans *Le Quartier latin*, le journal de l'Université de Montréal. Un jeune étudiant en littérature et histoire de 19 ans signe l'article. Il a pour nom... Stéphane Venne. Avec Denys Arcand et Denis Héroux, il coréalisera un an plus tard le film *Seul ou avec d'autres*, une œuvre qui s'inscrit dans la plus pure tradition du cinéma direct.

Ce spectacle de Renée Claude est donc la première rencontre entre l'interprète et son futur auteur-compositeur. Visiblement, l'étudiant est impressionné par le talent de la chanteuse de 22 ans. Et pour en parler, il a recours à un verbe élégant doté d'une assurance certaine. « Elle est une exception : à une époque où l'on crée ses propres chansons, cette fille veut créer des interprétations, écrit-il en guise d'introduction. Malgré son expérience relativement neuve de la scène, Renée Claude sait se servir de son visage pour rendre toutes les nuances des chansons fantaisistes de Béart et Brassens », poursuit-il avant de noter que les mains de la chanteuse demeurent toutefois « immobiles ».

C'est aussi avec ce spectacle que Renée Claude scelle les liens avec un musicien qui deviendra l'un de ses plus fidèles amis, André Gagnon. Lorsque le pianiste fait la connaissance de la chanteuse, il doute de la capacité de la timide jeune femme à faire ce difficile métier. Des décennies plus tard, il reconnaîtra qu'il avait tort. « Elle n'avait pas l'assurance de beaucoup d'autres, mais elle avait la volonté, dit-il lors de la Soirée Hommage Québecor. Elle se faisait violence. Et elle est devenue une artiste de scène absolument extraordinaire. »

Lors du spectacle avec Félix Leclerc, Renée Claude est littéralement paralysée. « J'avais un trac fou, car c'était ma première grande salle, raconte-t-elle. J'ai fait mes sept chansons les mains derrière le dos. Je me suis trouvée pas mal épaisse. J'ai réalisé que j'avais beaucoup de chemin à faire. » Plus tard, la voyant interpréter une chanson d'un bout à l'autre les yeux rivés au sol, Jean-Pierre Ferland lui servira une leçon dont elle se souviendra. « On ne peut conquérir le public que si on le regarde dans les yeux », lui dit-il.

Au cours des mois qui suivent, elle travaille son jeu de scène. Mais si elle apprend à mieux bouger, elle découvre qu'elle devra composer pour le reste de sa carrière avec ce mal terrible qu'est le trac. Elle comprendra rapidement qu'elle ne pourra s'en débarrasser. En 1964, elle décrit à Joseph Rudel-

Tessier, journaliste au *Photo-Journal*, ce que cet état lui fait vivre intérieurement. Elle confie qu'il lui arrive, une fois sur scène, d'avoir envie de s'arrêter et de s'en aller. « Des fois, j'ai envie de me laisser tomber, de m'écraser pour qu'on m'emporte. »

En entrevue avec Marie-Claude Lavallée, à l'émission *Entrée des artistes*, en 1999, elle dit : « À une certaine époque, ça pouvait même aller jusqu'à des tremblements [...] Ce métier-là, je le fais parce que je ne peux pas faire autrement. Mais j'avoue que je suis passée par des périodes de remise en question où je me demandais si je voulais encore faire cela. C'était tellement atroce, ce que je vivais, que ça frisait le masochisme. »

Pour remédier à ce problème, Renée Claude s'impose un rituel avant chacun de ses spectacles : se retrouver seule pour mieux faire face à la bête. François Dubé, qui fut son pianiste pendant de nombreuses années, a souvent été témoin de ces moments d'isolement qu'elle s'accorde avant de monter sur scène. « Elle laissait la porte de sa loge ouverte, mais il y avait toujours le petit bout où je savais qu'elle voulait être seule. »

Avec le temps, elle apprend à combattre ce monstre à plusieurs têtes. Ses nombreux compagnons de scène seront alors témoins d'une chose extraordinaire et unique ; cette transformation que vit l'artiste entre la loge et la scène, cet instant où, portée par les dieux, la chanteuse marche vers la lumière pour accomplir un acte qui est sa raison de vivre. Cette mutation se déroule uniquement devant ses musiciens et chefs d'orchestre. Le public, lui, n'a droit qu'à l'artiste déliée, radieuse, impatiente d'offrir ses chansons.

À l'aube des années 1960, Renée Claude est assoiffée d'expériences de scène. Avec André Gagnon, elle chante partout où on veut bien d'elle. Les deux amis courent le petit cachet dans les boîtes à chansons de la province. Pour chaque spectacle, la chanteuse empoche 20 $. Elle en offre la moitié à son fidèle pianiste. Heureusement, Gagnon peut compter sur ses engagements avec Claude Léveillée et les autres Bozos (Clémence DesRochers, Jean-Pierre Ferland, Hervé Brousseau, Jacques Blanchet et Raymond Lévesque) pour gagner sa vie.

Elle continue de passer des auditions dans le but de décrocher des contrats dans de nouveaux lieux. Elle se rend *Chez Clairette*, la boîte à chansons que possède Clairette Oddera, l'une des grandes amies de Brel à Montréal. Mais comme on lui demande d'assurer le service aux tables entre les tours de chant, elle décline gentiment l'offre. «Je ne me voyais pas échapper les plats, me tromper avec la monnaie et me faire pogner les fesses par de vieux soûlons», dit-elle.

En 1962, Renée Claude prend part à l'aventure de *Chansons sur mesure*, qui tire ses origines en 1957 du Concours de la chanson canadienne créé par Radio-Canada. En 1961, une alliance avec les radios publiques de la France, de la Belgique et de la Suisse offre une dimension internationale à cette compétition qui aura lieu tous les ans jusqu'en 1969.

Le concept est le suivant : des auteurs-compositeurs soumettent des chansons, lesquelles sont d'abord défendues lors d'une finale nationale qui a lieu dans chacun des pays participants. Les chansons finalistes sont ensuite présentées lors d'un gala qui a lieu dans l'un des quatre pays. Les créateurs des chansons sélectionnées (ou les interprètes) présentent les œuvres devant un jury international.

Au Québec, cet événement a permis de faire découvrir de nombreux créateurs de chansons et des voix comme celles de Lucille Dumont, de Michel Noël, de Rolande Désormeaux, de Robert L'Herbier, de Colette Bonheur, de Muriel Millard, d'Andrée Champagne, de Yoland Guérard, de Colette Devlin, de Margot Lefebvre, de Jen Roger et de plusieurs autres.

En 1962, 12 chansons sont soumises au jury canadien formé cette année-là de Félix Leclerc, Guy Mauffette et Jean Deslauriers. Deux créations sont sélectionnées pour représenter le Canada à Bruxelles où se déroule la grande finale : *Tête heureuse*, de Jacques Blanchet, et *Feuilles de gui*, d'un jeune débutant nommé Jean-Pierre Ferland. « J'étais le "faiseux de skédules" de Radio-Canada, raconte Ferland. Je préparais les horaires des annonceurs. Puis on m'a confié des émissions comme annonceur. Comme j'avais quelques textes de chansons déjà écrits, un réalisateur m'a suggéré de soumettre *Feuilles de gui* à ce concours. »

Renée Claude connaît l'auteur. Elle chante déjà de lui *Ton visage* qui, selon la légende, puise son inspiration dans le joli minois de son interprète. *Feuilles de gui*, mise en musique par Pierre Brabant, est brillamment défendue par Renée Claude lors de l'étape préliminaire qui se déroule à Montréal en mars. On rapporte dans divers textes biographiques concernant Renée Claude que c'est elle qui va présenter *Feuilles de gui* à Bruxelles. Or, c'est plutôt son auteur qui se rend en Belgique défendre sa chanson. Il y va en compagnie de Lucille Dumont qui, de son côté, présente la chanson de Blanchet. Dans *La Presse* du 12 mars, on peut voir une photo de ces trois artistes prise à l'aéroport de Dorval lors de leur départ pour Bruxelles.

La chanson remporte le premier prix et consacre instantanément son créateur. Ferland se souvient encore de ce que l'organisateur lui a dit après sa performance : « Vous avez gagné, mais c'est pour la chanson. Comme auteur, vous êtes extra, mais comme chanteur, vous êtes épouvantable. » L'histoire d'amour entre Renée Claude et cette chanson se poursuit alors qu'elle l'enregistre sur 45 tours peu de temps après le concours. Ce fut son tout premier enregistrement. De son côté, Ferland l'a gravée sur un disque contenant les chansons finalistes des autres pays participants du concours.

La visibilité dont jouit Renée Claude fait en sorte qu'elle rencontre, toujours en 1962, John Damant, producteur pour la maison de disques Select. Marié à la chanteuse Lise Roy, l'homme est chargé de dénicher des talents pour l'étiquette dirigée par Ed. Archambault. Outre Renée Claude, il recrute à cette époque Pierre Létourneau, Robert Charlebois, François Dompierre et Stéphane Venne.

« C'était une période où les gérants, les imprésarios et les directeurs musicaux s'improvisaient, dit François Dompierre. C'étaient des gens qui n'avaient aucune compétence. Damant était un mythomane. Il jouait le rôle de producteur, mais il faisait croire à tout le monde qu'il était aussi un grand chef d'orchestre roumain. On ne pouvait pas vérifier tout ce qu'il affirmait, mais je peux vous dire qu'il n'était pas un chef d'orchestre. »

Pour la maison Select, Renée Claude enregistre le disque *C'est mon œil.* C'est son premier album. Elle ne veut pas rater son coup. Elle veut surtout que le public puisse comprendre sur-le-champ quel type de chanteuse elle est vraiment. Il le saura. À part la chanson *Vingt ans,* de Léo Ferré, un auteur qu'elle retrouvera avec éclat 30 ans plus tard, le reste du matériel provient de créateurs québécois.

Qui plus est, le disque s'ouvre sur la chanson d'une femme : *Les gens de la tournée,* de son amie Clémence DesRochers, avec une musique de Claude Léveillée. De Clémence, on trouve également *T'occupe pas.* « J'interprétais déjà *T'occupe pas* dans mes spectacles, mais j'ai fait *Les gens de la tournée* spécialement pour Renée », se souvient Clémence. Cette chanson paraît aussi en 45 tours.

À la demande de John Damant, Renée Claude n'inclut pas *Feuilles de gui* sur ce premier microsillon. Le patron de Select souhaite y mettre uniquement des chansons originales. En revanche, les créateurs Jean-Pierre Ferland et Pierre Brabant

offrent à la chanteuse *La marquise coton*. On retrouve également *Mon ange*, de Jacques Keable, *C'est la loi,* d'Hervé
Brousseau, ainsi que *C'est mon œil* et *Ce grand amour*, de
Jean-Paul Filion, le créateur de la légendaire chanson *La
parenté*.

Pour la pochette, réalisée par Gilles Morin, on joue à fond
la carte du mystère. On ne montre qu'un très gros plan de
l'œil droit de la chanteuse. Son contour est évidemment
accentué au crayon noir. Pour présenter ce premier opus,
l'animateur Jacques Normand écrit cette chose adorable au
verso de la pochette : « C'est vrai que tout bouge chez nous !
Pensez donc ! Un microsillon de qualité à tous les points de
vue, une fille de chez nous qui comprend ce qu'elle chante et
nous le communique, des arrangements intelligents. Comme
dirait un gars de chez nous : "On s'en vient forts". »

Il est frappant, presque 60 ans après sa parution, de
constater la très grande maturité qui se dégage de ce disque.
À 23 ans seulement, Renée Claude fait montre d'une assurance certaine. Le phrasé est juste sans être appuyé, la voix
est claire et puissante à certains endroits, l'intensité dramatique est mesurée.

Le microsillon est lancé en août 1962. La maison Select
met également sur le marché un mini-33 tours contenant 6
des titres. Jacques Duval, chroniqueur de disques pour *Télé-
Radiomonde*, écrit : « Une jeune chanteuse dont le nom était
inconnu il y a six mois est l'interprète dont on parle le plus

actuellement [...] Sur ce disque, elle chante avec beaucoup de vérité les œuvres des chansonniers canadiens.» Il termine son article en rapportant les propos d'un collègue qui estime que la débutante est toutefois «l'artiste la plus difficile à interviewer». En fait, quand on écoute les entrevues radiophoniques de cette époque, on se rend compte que, selon celui ou celle qui se trouve en face d'elle, la chanteuse peut être volubile et sympathique, comme elle peut être d'une grande froideur et d'une économie de mots désarmante.

L'élan que connaît sa carrière transporte littéralement Renée Claude. On ne peut pas en dire autant de son mariage. Celui-ci, quelques années après sa célébration, bat de l'aile. «C'est clair qu'il y avait une incompatibilité de caractère», dit son frère Michel Bélanger. «Il me demandait constamment si je l'aimais, dit Renée Claude. Je devais sans cesse le rassurer.» Après quelques tentatives afin d'éviter le naufrage, la séparation devient inévitable.

Désemparée, Renée Claude se tourne tout naturellement vers l'autre homme de sa vie. «J'ai téléphoné à mon père et je lui ai dit que je voulais lui parler, raconte-t-elle. On s'est rencontrés dans un bar. Mon père qui ne buvait jamais s'est commandé une bière. Je lui ai annoncé que je voulais me séparer. C'était comme si je lui avais annoncé que je voulais prendre mes vacances à Old Orchard. Ça m'a beaucoup aidée, car je sentais un poids énorme sur mes épaules. Il m'a dit qu'il avait toujours senti que ça ne marcherait pas.»

À l'aube des années 1960, alors qu'il est très mal vu qu'une femme quitte son mari, Renée Claude prend la difficile décision de tourner le dos à la vie maritale. Elle réunit quelques objets, des couteaux, des fourchettes, des draps et des serviettes, et loue un appartement. «La première chose que j'ai achetée fut un piano, raconte-t-elle. J'ai mangé pendant deux semaines, assise par terre, en me servant du banc de piano comme table.»

La jeune femme se retrouve seule dans un appartement presque nu. Mais, au fond d'elle, il y a le sentiment qu'elle se rapproche de quelque chose qui lui ressemble, quelque chose qui a toutes les allures du bonheur et de la liberté.

De la robe noire à la robe rouge

Renée Claude devient une figure connue des boîtes à chansons. Elle chante régulièrement à La Butte à Mathieu à Val-David, au Pirate à Saint-Fabien-sur-Mer, au Cabastran, à Rimouski. À 2 $ le billet, les cachets qu'elle reçoit sont plutôt maigres. Mais peu importe, la chanteuse chante. Elle occupe tout son temps à chercher des chansons, de bonnes chansons. « Sa seule ambition dans la vie était de trouver des chansons valables », a souvent dit d'elle André Gagnon.

Au début de 1964, elle se lance dans la production d'un deuxième disque. Mis sur le marché la même année, *Renée Claude Volume 2* s'ouvre sur *Pour qui*, un bijou signé Jean-Pierre Ferland et Jean Leccia. La chanteuse gagne en maturité. La voix se fait plus puissante. Il n'y a plus de doute, Renée Claude occupe une place importante dans le paysage de la chanson québécoise.

Toujours sur ce disque, elle interprète deux chansons de Gilles Vigneault : *Pendant que* et *Funambule* (musique de Claude Léveillée). Ces compositions sont également enregistrées par Monique Leyrac à la même période. Cela démontre à quel point les interprètes du Québec sont à ce moment assoiffés de chansons bien faites.

Avec ce disque, Renée Claude va plus loin et n'hésite pas à jouer davantage avec les sentiments amoureux, au grand bonheur de ses admirateurs qui se font plus nombreux. Pour cela, elle va vers des femmes : Christine Charbonneau, qui lui fait la sublime *Je te chercherai*, et Agnès Varda, de qui elle emprunte *Sans toi*, une chanson que la cinéaste a écrite pour son film *Cléo de 5 à 7*. Évidemment, Renée Claude demeure fidèle à « ses » deux hommes : Léo Ferré, de qui elle interprète *Si tu t'en vas*, et Georges Brassens, dont elle reprend *Embrasse-les tous*.

Et puis, on retrouve *La Mélisa*, une chanson folklorique de Jean-Paul Filion, qui détonne avec tout le reste. Il est intéressant de remarquer qu'à partir de là Renée Claude prendra goût aux chansons folkloriques ou traditionnelles, un genre qu'elle aimera intégrer dans ses tours de chant. Un autre exemple de ce penchant pour le terroir est *La servante du château*, de Ricet Barrier, qui permet à l'interprète de créer habilement l'illusion entre les accents berrichon et québécois.

Puis il y a la magnifique *Tbilissi* (écrit *Bilissi* sur la pochette de l'album), une chanson géorgienne connue sous le titre de *Tbiliso*, que Renée Claude fait en duo avec le comédien Hubert Loiselle. Frère de la comédienne Hélène Loiselle, l'acteur fait carrière au théâtre et à la télévision lorsque Renée Claude le rencontre. Il atteindra un sommet en interprétant, en 1971,

George Milton dans *Des souris et des hommes*, de John Steinbeck, en compagnie de Jacques Godin. C'est en le voyant dans certains épisodes de *La Boîte à Surprise* que Renée Claude remarque le timbre chaud de sa voix.

La chanteuse et le comédien vivent discrètement une grande histoire d'amour. «Cet homme a été très important dans sa vie», se contente de dire Michel Bélanger. Mais cette relation est aussi enflammée que difficile. La dépendance qu'entretient Loiselle avec l'alcool fait connaître à cette passion des mouvements de montagnes russes. «Hubert était comme un enfant, dit François Dompierre. Je n'ai jamais vu un tel cas d'alcoolisme.»

Durant cette période, Renée Claude est très en demande dans les émissions consacrées aux jeunes : *Âge tendre, Copain, Copain* et *20 ans express*. Mais surtout, on la voit à *Jeunesse oblige*, un rendez-vous qui est offert tous les soirs de la semaine et qui présente des reportages sur divers sujets, mais aussi des segments musicaux. L'émission comporte plusieurs déclinaisons (*Le club des jnobs, Jeunesse oblige à gogo, Folklore, Discothèque*, etc.). Chaque segment a ses animateurs (Michel Trahan, Geneviève Bujold, Jean-Pierre Ferland, Daniel Giraud, Jacques Boulanger, Pierre Létourneau, Louise Latraverse, etc.).

Renée Claude est une artiste chouchoute de ce rendez-vous qui est un formidable espace de réflexion et de discussion pour la jeunesse québécoise. Entre 1964 et 1967, elle y apparaît pas moins de 14 fois. Elle est, la plupart du temps, programmée dans la portion «boîte à chansons». Lors d'une de ces émissions, Jean-Pierre Ferland, visiblement émoustillé par sa présence, offre en duo avec son amie une chanson qui, précise-t-il, n'a pas encore de titre. Il s'agit de *Feignez de dormir*.

Dans une autre émission, diffusée en avril 1964, on présente un reportage mettant en vedette Renée Claude. On la voit allongée dans son lit, en compagnie de son chat, en train de lire. Les yeux sont cerclés de noir, le grain de beauté est savamment dessiné sur la joue gauche. Plus loin dans le reportage, elle chante avec un pianiste un extrait de *Sans toi* d'Agnès Varda et de Michel Legrand. «Nue au cœur de l'hiver/ Je suis un corps à vide/Sans toi». Manifestement, la jeune interprète ne craint pas le grave. Le yéyé et le twist, elle laisse ça à d'autres.

À l'automne de la même année, elle traverse l'Atlantique pour la première fois afin de représenter le Canada au concours *Chansons sur mesure,* dont la grande finale a lieu cette fois à Paris. Elle présente la chanson *Notre saison*, de Jean Royer et Gloria Marcon. Elle s'y rend en compagnie de Daniel Guérard qui défend de son côté *Ma chanson retrouvée*, des deux mêmes créateurs. Ces chansons ne récoltent malheureusement pas les honneurs.

Après le concours, Renée Claude reste à Paris pour faire la promotion de son super 45 tours sur étiquette Ducretet-Thomson (devenue London Records) qui contient *Les gens de la tournée, La marquise coton, Pour qui* et *Sans toi.* Ce premier voyage à Paris, cette ville qui la fait tant rêver depuis des années, la déçoit. Elle trouve les Français pressés, peu courtois et, surtout, « mal organisés ».

Sitôt rentrée de Paris, Renée Claude se lance dans la préparation de son tout premier récital en solo. Il a lieu le 7 novembre 1964, à l'Auditorium Le Plateau. Cette salle de 1300 sièges est, à cette époque, l'antre de la musique classique et des chanteurs sérieux. Pour l'accompagner dans la vingtaine de chansons qu'elle a minutieusement choisies, celles de Léveillée, Vigneault, Ferland, Brassens, Varda et Nougaro, elle peut compter sur le fidèle André Gagnon et sur deux autres musiciens. Jean Bissonnette signe la mise en scène. Les journaux n'hésitent pas à qualifier de « triomphe » ce premier grand test. En effet, quand on a droit à une dizaine de rideaux en fin du spectacle, on peut affirmer qu'il s'agit d'un passage fort réussi.

Incapable de prendre ses distances avec Hubert Loiselle, elle s'engage avec lui dans un projet d'émission radiophonique intitulée *Pour ceux qui aiment.* Diffusée deux fois par semaine, au printemps 1965, à Radio-Canada, l'émission permet aux deux interprètes de chanter et de dire des textes. André Gagnon est de la partie et les accompagne au piano.

La chanteuse découvre alors qu'elle doit apporter un soin particulier à sa voix. Ses cordes vocales sont fragiles, et des spécialistes la mettent en garde contre les dangers qu'elle court. La présence de nodules lui cause des ennuis et la force à s'arrêter de chanter pendant des semaines. En 1965, on écrit dans *Télé-Radiomonde* qu'elle va subir une intervention chirurgicale. Quelques mois plus tard, elle confie au journaliste Joseph Rudel-Tessier que son médecin lui a interdit de chanter durant deux mois. « Il m'interdisait même de parler. Je vous assure que c'est très difficile de faire comprendre, même à ses meilleurs amis, qu'une telle interdiction, c'est sérieux. »

En 1965, Renée Claude en a assez de l'image de la chanteuse noire et austère. En avril, elle fait la une du magazine *Maclean* qui affiche ce titre : « Pour faire mentir la légende, une robe rouge ! » Une dizaine de photos la montrent dans la robe censée symboliser le renouveau. Après deux disques de chansons réalistes et sombres, Renée Claude a envie d'emprunter d'autres avenues, de se rapprocher de sa vraie nature.

Renée Claude veut montrer qui elle est vraiment. Car sous les apparences d'une fille sérieuse s'en cache une autre. Le voile de la timidité empêche cependant de voir la seconde. Ses rares amis, eux, ont droit à l'autre Renée Claude. François Dompierre, qui a connu la chanteuse dans les années 1960, garde en mémoire cette double personnalité. « Elle avait quelque chose de la religieuse, dit-il. Mais parfois, elle soulevait le voile et décidait de s'amuser. »

Son ami André Ducharme a connu tous les traits de la personnalité de Renée Claude. « Renée est une femme éminemment drôle, dit-il. Elle ne parlait pas de Luc Plamondon ou d'André Gagnon sans les imiter. Elle imite tout le monde dont elle parle. C'est une femme qui aime rire, qui est capable de beaucoup d'autodérision et qui apprécie avoir autour d'elle des gens qui ont de l'humour.»

Toujours en 1965, elle décide de faire un geste en apparence anodin, mais qui revêt une grande importance pour elle : subir une chirurgie plastique afin de se débarrasser de ce nez qu'elle n'aime pas. En effet, alors que l'harmonie règne sur son visage et le reste de son corps, l'appendice central détonne par sa largeur et sa forme ingrate. Ce sujet peut difficilement être évité lors des entrevues qui suivront avec les journalistes qui ne se gênent pas pour l'aborder sans détour. Précisons qu'à cette époque le journal *Télé-Radiomonde* consacre rien de moins que la couverture d'un de ses numéros à Lucille Dumont qui «raconte en détail son opération au visage».

Renée Claude ne peut donc y échapper lorsque, quelques mois plus tard, elle rencontre le journaliste Joseph Rudel-Tessier. «J'aurais très bien pu vivre avec le nez que j'avais si je n'avais pas fait ce métier, confie-t-elle. S'il ne m'avait pas empêchée de chanter certaines chansons que j'avais envie de chanter et, surtout, s'il ne m'avait pas condamnée à jouer un personnage que j'avais peut-être inventé, mais dont je restais prisonnière. Vous savez, on finit par se conformer à l'image que les autres se font de vous. Mes premières chansons avaient persuadé tout le monde que j'étais une fille triste et noire.»

Les spectateurs découvrent sur scène son nouveau et gracieux profil alors qu'elle assure la première partie du chanteur Mouloudji en juillet 1965, à la Comédie-Canadienne. Des atomes crochus se développent entre la chanteuse et l'artiste français. Le temps de quelques spectacles au Québec, ils vivront une histoire d'amour aussi belle que brève.

Alors qu'elle avait eu recours à des subterfuges afin d'éviter de trop montrer son visage sur ses deux premiers disques (le premier ne montre que le gros plan de son œil alors que l'autre la présente tenant un masque entre ses mains), elle apparaît dans toute sa splendeur sur la pochette de son troisième disque, qui marque un tournant dans sa jeune carrière. Car, enfin, elle trouve du matériel cousu main pour elle.

En effet, durant cette période, elle découvre qu'il est de plus en plus difficile d'obtenir des chansons des auteurs-compositeurs québécois. Ferland, Léveillée et Vigneault sont maintenant des têtes d'affiche désireuses d'interpréter leurs propres chansons. Alors qu'en France le métier de parolier ou de compositeur est reconnu et mis en valeur, au Québec, c'est autre chose. Les créateurs de chansons n'ont qu'une envie : être dans la lumière, eux aussi.

Pour une interprète comme Renée Claude, qui aime obtenir du matériel original, il reste deux options : refaire ce qui a été fait ou trouver des créateurs qui ont envie d'écrire spécialement pour elle. Le producteur John Damant a alors la bonne idée de confier la création de l'ensemble des chansons du troisième

1. La mère de Renée Claude, Cécile Labissonnière, était une véritable beauté hollywoodienne. Séductrice et sociable, elle avait une forte personnalité.

2. Discret et bienveillant, Jean Bélanger occupa durant de nombreuses années un poste de contremaître général à la Montreal Tramways Company.

3. La petite Renée Bélanger est née dans la rue Saint-André. Aînée de la famille, elle fut une enfant choyée et aimée.

4. Vacances à la plage pour Renée et son père. Est-ce parce que Jean Bélanger a veillé aux bons soins de sa fille lors de ses premiers mois qu'une relation très forte a toujours uni le père et son aînée ?

5. Alors qu'elle attend de faire son entrée à l'école,
on emmène Renée dans un studio de photographie
pour immortaliser son joli minois.

6. À l'école Cherrier, Renée est une élève appliquée.
Sa chevelure brune l'empêche toutefois de jouer,
à son grand dam, la Vierge Marie dans les
productions théâtrales.

7. Renée Bélanger
   a fait sa communion
   solennelle à 10 ans.
   On devine que
   sa mère lui a fait
   de belles boucles
   pour l'occasion.

8. Cécile Bélanger
   inscrit plusieurs de
   ses enfants aux cours
   du Conservatoire
   Lassalle. Au centre,
   on voit Renée, de
   loin la plus grande
   du groupe.

9. En 1955, Renée s'inscrit en cachette de ses parents au concours *Les Découvertes de Billy Munro*. Elle présente trois chansons de Bécaud et remporte le premier prix.

10. Les concours auxquels Renée participe lui permettent d'obtenir des contrats dans des cabarets de Montréal. Elle y chante les dimanches après-midi, chaperonnée par son père.

11. Même si elle ne dure pas très longtemps, l'expérience des cabarets procure à la jeune Renée la conviction que le métier de chanteuse est fait pour elle.

12. Vers 16 ans, Renée participe avec ses copines à des fêtes en compagnie de garçons. Si on danse des «vites», on souhaite que le *plain* arrive.

13. Renée sur la plage, à 19 ans. Elle fréquente Gilles Morin. Un mariage est en vue. Mais déjà elle rêve une carrière dans la chanson.

14. Peu de temps après les auditions de Radio-Canada, en 1959, Renée décroche un premier contrat à l'émission *Chez Clémence*, animée par Clémence DesRochers et réalisée par Jean Bissonnette.

15. Après des passages *Chez Clémence* et à *Music Hall*, elle apparaît à *G.M. vous invite*, une émission de variétés animée par Yoland Guérard. Elle y chante *Le temps du plastique* de Léo Ferré.

16. En 1961, Renée Claude
    n'a pas encore enregistré
    de disque. Mais elle
    devient une habituée
    des boîtes à chansons.
    Son look est visiblement
    inspiré de celui de
    Juliette Gréco.

17. Cette photo a été prise au
lancement de la saison de
la Comédie-Canadienne,
où Renée Claude donnera
un spectacle en février 1966.
C'est l'une des premières
photos où on la voit avec
son nouveau nez.

disque de Renée Claude à deux jeunes créateurs au talent prometteur, Stéphane Venne et François Dompierre. «Nous avions tous les deux fait un disque chez Select comme interprètes, dit Dompierre. Mais, très honnêtement, nous avions plus de dispositions pour faire de la direction musicale, écrire des paroles ou composer des musiques.»

Stéphane Venne écrit 10 textes qui sont mis en musique par François Dompierre. Ce dernier, âgé de 22 ans, signe les arrangements et dirige les musiciens en studio. «Ce disque est un point tournant dans ma carrière, car c'est mon premier gros projet, dit Dompierre. Nous étions ravis, Stéphane et moi, de faire cela. Renée devenait connue, et nous avions envie de travailler avec elle.»

Stéphane Venne et François Dompierre saisissent cette occasion en or. «Avant nous, il y avait eu Neil Chotem, Paul de Margerie et Maurice Blackburn, dit François Dompierre. Et là, on avait l'impression qu'il n'y avait rien avant nous et qu'il n'y aurait plus rien après nous. On était prétentieux pas à peu près.» Il est vrai qu'à cette époque Stéphane Venne, François Cousineau, Paul Baillargeon, Pierre F. Brault et François Dompierre sont les nouveaux princes de la chanson québécoise. La décennie 1964-1974 fut marquée par leur génie.

Pour ce disque, la maison Select met le paquet. Une trentaine de musiciens sont réunis en studio, en décembre 1965, pour quatre sessions d'enregistrement étalées sur deux jours. «Il fallait être très efficace, se souvient François Dompierre. Il y avait beaucoup d'argent là-dedans. Renée chantait en direct avec l'orchestre. »

John Damant lance un défi aux deux créateurs et leur propose de faire des chansons qui seraient réunies autour d'un concept ou d'un thème, une rareté à l'époque. L'auteur et le compositeur imaginent des chansons qui résument une journée dans la vie d'une femme. « L'intuition de Damant de réunir trois débutants, Renée étant la plus expérimentée du trio, était plutôt bonne, reconnaît aujourd'hui Dompierre. C'était quand même audacieux. »

Le disque porte le titre *Il y eut un jour*. Il est inspiré du verset de la Bible : « Il y eut un soir, et il y eut un matin. » Stéphane Venne se lance dans cette folle aventure avec la fougue et l'audace de sa vingtaine. « J'ai en effet rassemblé dans une même grappe un certain nombre d'expériences génériques d'une femme, explique-t-il. Parmi celles-ci, il y a la découverte de la discrimination raciale. »

La chanson *Tu es noire* est le porte-étendard de ce projet. Dans ce texte, Stéphane Venne décrit le regard que porte le Québec sur les minorités raciales à partir d'observations qu'il a faites à l'Université de Montréal où il fut étudiant. De son côté, François Dompierre compose pour ce poème une mélodie parmi les plus belles de son œuvre. La chanson remporte un grand succès et procurera cette année-là à ses créateurs le Prix de la chanson canadienne de l'année, style chansonnier, au Festival du disque.

Sur ce disque, on trouve également la chanson *Séduction* que Renée Claude interprète avec Hubert Loiselle. La présence de l'amant de la chanteuse en studio empêche François Dompierre d'exprimer un sentiment qu'il garde pour lui. «J'avoue que j'avais un gros *kick* sur Renée, dit-il. Je la trouvais tellement belle. Mais il ne s'est rien passé. Notre relation était plutôt fraternelle.»

À la sortie du disque, au début de l'année 1966, Claude Gingras, de *La Presse*, écrit qu'il «cherche en vain ce que l'on nous avait promis: une même idée maîtresse et un même style» dans ce disque qu'il qualifie de «cycle». En revanche, sur l'interprète, il est très élogieux. «Cette jeune chanteuse prend décidément de plus en plus de place dans notre petit univers. On note encore ici et là quelques sonorités à la Gréco, mais il faut reconnaître que Renée Claude possède maintenant une personnalité bien à elle.» Le critique conclut en disant qu'elle a «un très beau phrasé et une excellente diction».

Alors que le disque apparaît dans les bacs des disquaires, Renée entreprend une série de spectacles, du 24 au 27 février 1966, à la Comédie-Canadienne. André Gagnon est au piano et dirige l'orchestre. Dans le programme, Jean-Pierre Ferland rédige ce joli mot:

« Eût-ce été pour l'œil
C'était réussi
Mais c'était pour l'oreille
Aussi
Tant mieux pour les deux
La chanson n'est pas chaste
Renée Claude va chanter
De l'esprit à l'âme
Du cœur au ventre
Du ventre à la bouche
Entre la scène et l'orchestre
Il n'y aura plus d'espace
Entre elle et nous
Il y aura une complicité
Comme des épousailles
Trente-deux chansons
C'est la comédie de sa vie
C'est sa Comédie-Canadienne »

Elle profite de ce spectacle pour améliorer son jeu de scène. «Avant cela, je chantais braquée devant le micro, dit-elle. J'avais peur de lui, de m'enfarger dans le fil, de prendre une décharge électrique. Je me suis dit que cela avait assez duré. Je me vois encore en train de répéter avec le micro pour l'apprivoiser.»

Plus libre, plus à l'aise, elle chante Vigneault, Ferland, Jean-Paul Filion, Jean Fortier, Sylvain Lelièvre, mais aussi Ferré, Legrand, Ferrat, Aragon et Barbara. Elle intègre, bien sûr, quelques chansons de Dompierre et de Venne qui figurent sur le disque *Il y eut un jour*. Le soir de la première, «le tout Montréal» est sur place. Entre autres, le redoutable Claude Gingras qui titre la critique qu'il publie le lendemain dans *La Presse*: «Renée Claude, à entendre plutôt qu'à voir.»

Il sort sa plume la plus acérée pour dire qu'il s'est «ennuyé» lors de ce spectacle qui fut, selon lui, au-delà des capacités de la jeune chanteuse. Il écrit que son programme est composé de «banalités parmi lesquelles perce une petite poignée de bonnes chansons». Visiblement, le critique n'a pas aimé que Renée Claude fasse *Les journalistes* de Jean-Pierre Ferland durant le spectacle, une chanson où on dit des critiques qu'ils s'ennuient «les soirs des grandes premières... comme au cimetière». Sur un ton condescendant, celui sur lequel il a bâti sa réputation, Gingras réplique: «Pas toujours, ma petite fille.»

Mauvaises critiques ou pas, la popularité de Renée Claude monte en flèche. Si bien que Le Patriote décide de créer un prix qui porte le nom de la chanteuse. Pour ceux qui aiment la chanson d'auteur, Renée Claude symbolise celle qui défend le mieux ce genre dont le Québec a tant besoin à cette époque. Cette récompense sera remise durant quelques années à de jeunes artistes, notamment à Claude Dubois qui la reçoit en 1967 à titre de découverte de l'année.

Le 20 août, Renée Claude s'envole pour la Pologne afin de représenter le Canada au Festival de Sopot. Avant elle,

Jean-Pierre Ferland, Pauline Julien et Monique Leyrac ont défendu le pays à ce prestigieux concours. Comme Monique Leyrac a remporté l'année précédente le premier prix d'interprétation grâce à la chanson *Mon pays*, de Gilles Vigneault, l'interprète et l'auteur se rendent à Sopot avec Renée Claude comme invités spéciaux.

Renée Claude apprend quatre mois plus tôt qu'elle sera l'ambassadrice du Canada à ce concours. Dans *La Presse*, on précise qu'elle y présentera *Tu es noire*, de Stéphane Venne et François Dompierre, *Pendant que*, de Gilles Vigneault et *Quand le soir descend*, une chanson polonaise (*Popartz Kto to Jest*) adaptée par Sylvain Lelièvre, qu'elle a l'intention de mettre sur son prochain disque.

Le concours a lieu du 25 au 28 août. Elle est accompagnée par Paul de Margerie qui dirige l'orchestre de Sopot. Sur les 25 interprètes inscrits au concours, elle se classe onzième. Après le concours, elle n'a guère le temps de broyer du noir, car elle doit se rendre à Prague, à Bratislava et dans d'autres villes de l'ancienne Tchécoslovaquie pour offrir une série de récitals.

De retour au Québec, elle effectue une tournée à l'automne en compagnie de Pierre Létourneau. Le 22 novembre, *Le Soleil* précise qu'elle a interprété des «chansons canadiennes», ainsi que celles tirées d'*Il y eut un jour*. «Renée Claude n'a plus tellement de trucs à découvrir pour se montrer à l'aise sur la scène. En fait, elle est presque familière avec son public. Elle met beaucoup plus d'expression dans son interprétation qu'avant », écrit-on.

La chanteuse prend de l'assurance. La voix gagne en chaleur, en nuances. Maintenant à un rythme d'un disque par année, un truc absolument impensable de nos jours, elle lance le *Volume 4*. Pour cet enregistrement, elle prend deux poèmes d'Émile Nelligan (*Le mai d'amour* et *L'idiote aux cloches*) que François Dompierre transforme en chansons. Ce dernier assure avec beaucoup de brio les arrangements et la direction musicale du disque.

Sylvain Lelièvre lui offre *Chanson du bord de l'eau*, l'une des pépites de sa carrière. Jean Fortier, jeune prodige fauché trop tôt, à 24 ans, d'un cancer, signe 3 chansons alors qu'il n'a que 19 ans. De cet ancien membre des Cailloux, Renée Claude interprète *De ta tendresse*, *La chanson brève* et *Marguerite*. Elle s'attaque également au monument que sont *Les gens de mon pays*, de Gilles Vigneault.

En outre, il y a la délicieuse *Une vie*, de Stéphane Venne. « Là, c'est clair que je lui ai fait un pastiche d'Aznavour », dit le créateur de la chanson. Et puis, ne pouvant résister à un folklore, elle met *M'en vas à la fontaine*. Le disque s'achève sur *Avec moi*, une chanson dont la musique est signée... Renée Claude. Quand on écoute aujourd'hui cette chanson, on se demande pourquoi la chanteuse n'en a pas composé davantage.

Les ruptures et les retrouvailles se multiplient entre Hubert Loiselle et Renée Claude. « Il arrêtait de boire et me revenait comme un p'tit chien », dit-elle. Cette histoire d'amour est malheureusement vouée à un échec. La séparation définitive survient et est extrêmement difficile pour Renée Claude qui demeurera toutefois en contact avec le comédien jusqu'à sa mort, en 2004. « Elle l'a ensuite aimé tendrement, comme un frère », dit François Dompierre.

C'est cette femme qui semble porter en elle la mélancolie de la terre que l'on voit, à l'automne 1966, à l'émission *Mon pays, mes chansons* présentée par Pauline Julien, à Radio-Canada. Elle y chante *Printemps sans amour*, de Guy Béart, et *Chanson du bord de l'eau*, de Sylvain Lelièvre. Les images sont tournées en extérieur. La chanteuse apparaît en tailleur rose, boucles d'oreilles assorties et couettes enrubannées. On dirait une secrétaire en promenade au parc La Fontaine.

Pourtant, l'année 1967 se pointe à l'horizon. Et avec elle montent les effluves de patchouli et de révolution. En déclarant à un journaliste de l'*Evening Standard* que les Beatles étaient plus célèbres que Jésus, John Lennon met le feu aux poudres. La jeunesse, un concept qui n'existait pas quelques années auparavant, va changer beaucoup de choses. Les rapports de force ne seront plus jamais les mêmes. Au Québec, sur une « Terre des Hommes » inventée de toutes pièces, les jeunes se préparent à prendre les armes.

Renée Claude entend au loin le bruit de ce changement. Elle y prendra part. À sa façon.

Une rencontre a lieu et l'autre pas

Alors que Montréal se prépare à recevoir des visiteurs par millions dans le cadre d'Expo 67, dont l'ouverture est prévue en avril, Renée Claude effectue une tournée de deux semaines en Ontario. Elle sillonne les routes enneigées de la province en voiture, en train et en autobus en compagnie de Claude Gauthier et de Jean-Guy Moreau. Le trio peut compter sur la présence du pianiste François Dompierre. Malgré les nombreuses embûches, un réel plaisir s'installe au sein du quatuor.

Le musicien et chef d'orchestre garde un merveilleux souvenir de ce périple, de même que de tous les autres qu'il a effectués en compagnie de la chanteuse. « Je me souviens d'une tournée en Acadie, dit-il. Je conduisais et on parlait sans arrêt. On se sentait loin de chez nous. Contrairement à Monique Leyrac qui était une fonceuse, Renée était craintive. Comme moi, d'ailleurs. On était deux peureux qui craignaient de voir apparaître un chevreuil sur le chemin, mais on avançait quand même. Comme deux bons Cancer, on plongeait pareil. »

Après avoir participé à Toronto à l'émission *The show is shown*, en compagnie de Pauline Julien, Donald Lautrec et les Jérolas, elle fait un voyage au Mexique qui lui offre la chance de recharger ses batteries avant un long marathon, celui qu'elle doit effectuer en compagnie d'un monstre sacré.

En effet, c'est sur Renée Claude que s'est porté le choix d'assurer la première partie du spectacle que présentera Jacques Brel dans le cadre de son ultime tournée québécoise. En 1967, le Grand Jacques est un homme fatigué. Il entreprend un long voyage des deux côtés de l'Atlantique afin de dire adieu à ses nombreux admirateurs. Une série de spectacles est prévue dans la Belle Province.

Dans la biographie *Jacques Brel, une vie*, que l'auteur Olivier Todd consacre à l'artiste, on raconte qu'avant d'entreprendre ce marathon Brel écrit à Clairette, sa fidèle amie franco-québécoise : « Je ne pourrai jamais me passer d'écrire, mais je pourrais parfaitement m'arrêter de chanter. »

Guy Latraverse est le producteur de cette tournée. Il recrute François Dompierre et quelques musiciens pour accompagner Renée Claude. « J'étais chef d'orchestre pour Renée et claviériste pour Brel sur quelques chansons... quand il décidait de les faire », se souvient le pianiste.

Les équipes québécoise et française offrent d'abord une série de 15 spectacles à la Comédie-Canadienne du 25 mars au 9 avril, avant de partir sur la route pour aller rencontrer les nombreux admirateurs de Brel qui se trouvent à Ottawa,

Joliette, Saint-Hyacinthe, Québec, Victoriaville, Trois-Rivières et Jonquière.

Avant la tournée, les rumeurs vont bon train quant à une possible idylle entre Brel et Renée Claude. Le grand séducteur allait-il attirer dans ses filets la belle chanteuse québécoise? Celle-ci allait-t-elle mettre à ses genoux le créateur de *Ne me quitte pas*? Malheureusement pour ceux qui rêvaient d'un tel scénario, rien de tout cela ne se produisit. «Ces deux-là ne se piffaient pas, dit François Dompierre. Ils ne se sont pas dit deux mots de la tournée. Lors des déplacements, Renée s'installait au fond de l'autobus, et Brel restait en avant. Il n'allait pas voir son spectacle, et Renée n'allait pas le voir non plus.» Et vlan! pour cette histoire qui faisait déjà saliver les journaux à potins de l'époque!

Pourtant, lors de la conférence de presse précédant la série de spectacles à la Comédie-Canadienne, Brel avait joué les fanfarons devant les journalistes en leur disant qu'il était heureux qu'une femme plutôt qu'un homme fasse sa première partie. «Déjà que je ne suis pas beau», avait-il dit. «Brel était nettement hétéro, mais il préférait la compagnie des hommes, dit François Dompierre. Il pouvait jouer aux cartes jusqu'à très tard avec ses copains. Il aimait répéter: "Moi, les gonzesses, c'est une fois par semaine. Et pour l'hygiène!" Disons-le, il était un peu misogyne. Renée avait senti ça. C'était épidermique.»

Au cours de cette longue et exigeante tournée, Renée Claude se concentre sur le programme qu'elle doit offrir tous les soirs. Elle a bâti un tour de chant composé de *Tu es noire*, de Stéphane Venne et François Dompierre, *L'idiote aux cloches*, d'Émile Nelligan et Dompierre, *Pendant que*, de Gilles Vigneault, *Vivre*, de Robert Gauthier et Dompierre, ainsi que *La guerre des jupons*, de Christine Charbonneau. Même si les spectateurs viennent surtout pour entendre Brel, Renée Claude réussit à séduire le public par son immense talent et son charme. Au cours d'une entrevue télévisée que Brel donne dans sa loge à une journaliste de Jonquière, on peut entendre la chanteuse offrir ses chansons à un public qui l'applaudit à tout rompre.

Le froid qui règne entre les deux artistes durant cette tournée n'empêchera toutefois pas Renée Claude de continuer d'admirer Brel et ses chansons. Elle montrera à plusieurs reprises l'admiration qu'elle a pour ce géant, notamment en 1999 lorsqu'à la demande de l'équipe du *Plaisir croît avec l'usage* elle offrira une sublime interprétation d'*Orly* devant un Dédé Fortin subjugué.

Renée Claude est, en 1967, une artiste accomplie qui dégage une assurance tant sur disque que sur scène. L'extrême rigueur dont elle fait preuve et qui deviendra légendaire est son arme la plus redoutable. « Quand on devient son pianiste, il faut accepter une chose : qu'il va falloir répéter beaucoup, dit André Gagnon dans l'hommage que celui-ci lui rend lors de la Soirée Québecor, en 2008. Ce n'est pas qu'elle a besoin de répéter à l'infini, c'est qu'elle n'est jamais satisfaite. J'ai rarement vu quelqu'un autant travailler. Avec Monique Leyrac, c'est l'artiste la plus exigeante que j'ai croisée. »

Tous les musiciens qui ont travaillé avec Renée Claude se mettent d'accord pour dire que l'improvisation et le laisser-aller ne font pas partie de l'univers de la chanteuse. « Renée a été celle qui m'a le plus aidé à me discipliner, dit François Dompierre. Elle n'avait pas peur de me dire que j'avais mal fait mes devoirs. Elle était comme une maîtresse d'école. C'était une femme extrêmement exigeante et elle m'a appris à être exigeant. »

François Dubé, qui l'a accompagnée pendant de nombreuses années lors des spectacles en hommage à Clémence DesRochers et à Georges Brassens, se souvient des journées de représentation. « En après-midi, une fois rendus au théâtre, elle me demandait de faire les introductions des chansons, mais finalement on faisait presque tout le spectacle. Même si on donnait une seule représentation du spectacle, il fallait répéter dans les jours qui précédaient. »

Adepte de l'improvisation, Philippe Noireaut, son pianiste et arrangeur pour le spectacle sur Léo Ferré, raconte que, lorsque les deux ont planché sur les arrangements des chansons, il a vécu une chose étonnante. « On a fait toutes les chansons et je me suis dit que c'était dans la poche. Renée m'a alors dit : "Bon, maintenant, on commence à travailler." Je n'avais jamais vu ça. »

Même sans ses musiciens, elle multiplie les exercices de voix et le travail sur les chansons, seule devant son piano. « Renée pouvait répéter pendant des heures, relate son amoureux Robert Langevin. Elle quittait son piano uniquement quand je lui disais que le souper était prêt. »

Pour elle, cet exigeant travail auquel elle s'astreint est tout à fait normal. Elle ne comprend pas pourquoi les autres artistes ne sont pas comme elle. « Elle me disait : "Devant l'incompétence, je n'ai aucune charité chrétienne", confie André Ducharme. Elle ne supportait pas la médiocrité. »

Ces répétions et exercices réussissent à peine à la rassurer. Même quand ses proches lui disent qu'elle a offert un excellent spectacle ou qu'elle a frôlé la perfection, l'interprète met en doute leurs paroles. « Je me trouve rarement bonne, dit-elle. Je me trouve pas pire, mais je sens que ça pourrait tellement être mieux. J'ai toujours l'impression qu'il y a une femme qui fait quelque chose et une autre qui la regarde faire. Et cette autre femme juge. Je suis une grande insatisfaite. »

En mai, Renée Claude s'apprête à vivre la folie d'Expo 67 où elle sera l'une des artistes parmi les plus en demande au cours de cet été. Le 17 mai, elle inaugure, en compagnie de Michel Conte, la Semaine de la Chanson à l'Expo Théâtre. Au cours des jours qui suivent, on y entendra Donald Lautrec, Stéphane Venne, Gilles Vigneault et Claude Léveillée.

Du 2 au 22 juin, elle tient l'affiche du pavillon du Québec offrant deux représentations par soir. Elle est aussi une régulière du pavillon de la Jeunesse. « Ce pavillon était un foutoir organisé, dit le musicien Yves Laferrière, l'un des programmateurs culturels de l'événement. On pouvait mettre à l'affiche un artiste au dernier moment selon les envies du public.» C'est ainsi que, le 24 juillet, on propose à Renée Claude de partager la scène avec le grand Leonard Cohen. Pour les Montréalais, ces deux artistes symbolisent le mieux, en cet été 1967, la métropole devenue centre du monde.

Au début de cette série de spectacles, Victor-Lévy Beaulieu signe pour *La Presse* un portrait juste et révélateur de la chanteuse. Fasciné par le «mystère Renée Claude», il écrit : «On a l'impression qu'elle ne veut pas en dire trop, qu'elle se réfugie derrière l'obscur de ses yeux pour ne pas se révéler, pour se conserver intacte, pour qu'on n'ait pas prise sur elle, pour qu'elle ne soit pas obligée à des marques d'attention [...] Le chant serait alors un masque pour elle, une espèce d'abri.»

À l'instar des jeunes de sa génération, la chanteuse reçoit «l'effet Expo» en pleine gueule. Le passage, le 6 août, des groupes Jefferson Airplane et Grateful Dead, fraîchement rentrés du Festival de Monterey, est l'un des faits marquants de cette exposition universelle. La contre-culture californienne fait son œuvre. Plusieurs témoins qui ont assisté à ce spectacle croient aujourd'hui qu'il a contribué à changer le visage de la musique québécoise.

C'est au cours de cette mythique année 1967 que la chanteuse retrouve l'un de ses partenaires du projet *Il y eut un jour*. Sur une photo d'archives prise lors de cet événement, on aperçoit Renée Claude en compagnie de Stéphane Venne. Gilles Vigneault est également présent. Les trois artistes partagent un verre dans l'un des innombrables cocktails tenus durant Expo 67.

Dans le ciel, les astres s'alignent. «J'emménage dans un nouvel appartement avec ma femme sur la rue Tupper, près du Forum, raconte Stéphane Venne. Je n'avais pas vu Renée depuis un bout de temps et je me rends compte qu'elle habite dans le même immeuble. J'ai un piano, elle a un piano. Et là, on se met à vraiment travailler ensemble, car, pour *Il y eut un jour*, François [Dompierre] et moi avions fait nos choses chacun de notre côté. »

En remportant le concours de la chanson officielle d'Expo 67 avec *Un jour, un jour*, Stéphane Venne est propulsé en orbite et se fait connaître comme auteur-compositeur. Il a envie d'écrire pour les autres. De toute façon, le métier d'interprète ne l'intéresse plus. «J'haïssais ça, je n'étais pas bon. Je me produisais devant 60 personnes. »

Après quatre disques avec la maison Select, Renée Claude signe avec Columbia. Elle fait alors un geste audacieux. «Ça lui a pris un courage énorme, dit Stéphane Venne. Elle a quitté sa maison de disques et elle a exigé de la nouvelle que je sois le réalisateur du disque.» Venne prend les choses en main et s'entoure de grandes pointures pour la direction d'orchestre et les arrangements : Neil Chotem, Paul Baillargeon et Paul de Margerie. Ce disque est un véritable chef-d'œuvre mal connu du public.

Neil Chotem signe de fabuleux arrangements pour *Shippagan*, une chanson écrite et composée par Michel Conte. Elle raconte l'histoire d'un jeune homme qui quitte son coin de pays qui n'est «ni presqu'île ni terre» en pensant au roi d'Angleterre qui a un jour chassé ses ancêtres. Cette œuvre, composée par un Français, sera l'une des toutes premières chansons à parler des Acadiens aux Québécois. Et elle sera le premier véritable succès de Renée Claude. «J'étais très surprise d'entendre cette chanson à la radio, dit-elle. J'ai même pensé que mon gérant payait les radios pour la faire tourner.»

Chotem dirige également la chanteuse dans *La Bohème*, de Charles Aznavour, ainsi que dans *Et te voilà*, version française de *And I Love Her*, des Beatles, adaptée par Stéphane Venne. Mais surtout, le chef d'orchestre saskatchewanais signe les fabuleux arrangements de *Ne me quitte pas*, de Brel, qui en font l'une des grandes réalisations de l'histoire du disque québécois. Les arrangements des cordes rappellent ceux qu'il signera quelques années plus tard pour *L'Heptade* du groupe Harmonium.

De son côté, Paul de Margerie prend en main *Mon amour, mon grand amour*, de Stéphane Venne, *Vivre*, de Robert Gauthier et François Dompierre ainsi qu' *Erev Shel Shoshanim* (écrit *Erev Chel Chochanim* sur la pochette de l'album), une jolie chanson d'amour qu'elle interprète en hébreu et qui sera également reprise par Rika Zaraï et Harry Belafonte. De nombreuses décennies avant que le courant de la *world beat* embrase la planète, Renée Claude interprète une chanson en langue étrangère.

Paul de Margerie, qui unit une fois de plus son talent à celui de Renée Claude, connaît avec ce disque son chant du cygne. En effet, ce génie des arrangements et de la direction d'orchestre connaîtra une fin tragique quelques mois après ce projet en se suicidant au cours d'une ultime conversation téléphonique avec une femme dont il est éperdument amoureux.

Quant à Paul Baillargeon, qui réalisera plus tard le mythique album *Jaune* de Jean-Pierre Ferland, il signe les arrangements d'*Un jour sans toi*, de Stéphane Venne et Dizzy Gillespie. Un 45 tours destiné au marché anglophone contenant *If You Go Away*, version anglaise de *Ne me quitte pas*, et *And I love Him* est mis sur le marché.

La fameuse chanson-thème d'Expo 67, *Un jour, un jour*, qui a fait exploser la notoriété de Stéphane Venne, est également gravée sur ce disque. Mais contrairement à tous les autres interprètes qui l'ont enregistrée (Donald Lautrec, Marcel Martel, Michèle Richard, etc.), Renée Claude l'exécute avec un tempo beaucoup plus lent, beaucoup plus à son image. «On a imaginé un changement d'accord sur chaque temps», explique Stéphane Venne.

Le disque contient également *Donne-moi le temps*, toujours de Venne, avec la participation de Renée Claude pour les paroles. Lors de l'émission *Zoom*, animée par Jacques Boulanger, une séquence nous montre les deux amis qui interprètent cette chanson devant un piano. La forte complicité qui les unit est palpable. La chanson annonce de manière éclatante l'arrivée de ce duo sur la scène de la musique québécoise. Car il s'agit de cela. Nous ne sommes pas en face d'un auteur-compositeur créant à distance des chansons pour une interprète qu'il connaît plus ou moins bien. Renée Claude et Stéphane Venne forment, comme cela est rare en musique, une véritable paire. Le neutron a rencontré son proton.

Renée Claude laisse allonger ses cheveux. La femme qui apparaît sur la pochette du disque a un regard franc, confiant. Celle qui n'a pas peur de dire qu'avoir un joli minois peut contribuer au succès d'un artiste prend plaisir à pincer davantage cette corde. « Il faut être bon, mais si en plus on est beau, ça aide », dit-elle avec beaucoup de franchise à l'émission *Dix minutes d'entracte*, diffusée à Radio-Canada, dans les années 1960.

Le disque *Shippagan* marque un tournant dans la vie et dans la carrière de Renée Claude. Rempli d'excellentes chansons, il est celui qui scelle la relation entre la chanteuse et Stéphane Venne. Cette union passe par divers canaux. Elle est musicale, certes, mais elle emprunte aussi au sentiment amoureux. Celui qui a toujours hésité à parler de sa vie intime avec la chanteuse ose dire aujourd'hui que cela était de « l'ordre de l'amour ».

« Notre relation affective faisait partie d'un tout et ne peut pas être isolée, dit Stéphane Venne. C'est pour cela que j'ai toujours hésité à aborder ce sujet. Je me disais que, si je parlais de cet aspect de notre relation, on dirait que nous n'étions qu'amant et maîtresse. Ce n'était pas cela. C'était une entreprise artistique à laquelle une affection, sous toutes ses formes, contribuait. Ça s'appelle la complicité de la vie. Nous vivions tous les deux à ce moment-là pour une seule et unique chose : s'exprimer sur le plan artistique. C'est cela que nous avons vécu, Renée et moi. »

Cette « entreprise artistique » qui se nourrit d'amour et de piano marquera au fer rouge l'histoire de la chanson québécoise. Du talent d'un homme et d'une femme jailliront des chansons contre lesquelles le temps perd la bataille.

Le début d'un son nouveau

Pour mille et une raisons, l'année 1968 est le point tournant d'une grande révolution sociale et culturelle qui frappe toute la planète. Elle balaie impitoyablement des figures marquantes de l'après-guerre pour laisser la place à la plus formidable invention de ce siècle : la jeunesse. Alors que Maurice Chevalier donne un de ses derniers coups de canotier à son fidèle public, une chose bien étrange se déroule sur une scène de Broadway : des hippies aux cheveux longs s'enlacent lascivement derrière des écrans de volutes bleues. Le spectacle *Hair*, symbole incontestable du *flower power*, est la riposte de la jeune génération à la guerre du Viêt Nam.

Au Québec, quatre jeunes délurés prennent part à ce mouvement contestataire. En juin, Robert Charlebois, Louise Forestier, Yvon Deschamps et Mouffe créent *L'Osstidcho* sur la petite scène du Quat'Sous. À peine 2 mois plus tard, 15 courageuses actrices montent sur les planches du Rideau Vert pour dénoncer la « maudite vie plate » à laquelle beaucoup de femmes québécoises sont soumises. Grâce aux *Belles-Sœurs*, Michel Tremblay vient au monde. Comme le dira un jour le metteur en scène de cette pièce, André Brassard : « Cette œuvre est une immense claque sur la gueule des Québécois. » La fameuse Révolution tranquille se fait moins tranquille.

Dans ce fabuleux et inspirant maelstrom, Renée Claude et Stéphane Venne se soudent. À cette époque, l'auteur-compositeur s'intéresse de près aux sons qui sont en vogue, ceux des Beatles et des Mamas and the Papas, notamment. « On n'est plus dans la *bubble gum* des années 1950, on n'est plus dans la rythmique à la française toujours pareille, explique Venne. Je me dis qu'il y a moyen de faire autre chose que ce que l'on fait au Québec. »

Les deux artistes partagent les mêmes aspirations, marchent dans la même direction. Ils s'abreuvent à la même source. « Renée ne m'a jamais dit que je faisais de bonnes tounes, et je ne lui ai jamais dit qu'elle chantait bien, dit Stéphane Venne. La chanteuse chante, l'auteur écrit. On se faisait entièrement confiance. Elle n'était pas du genre à me dire qu'elle n'aimait pas telle ou telle parole. Elle laissait venir la chanson. C'est d'ailleurs pour cela que j'ai arrêté d'écrire pour Pauline Julien. Elle demandait à lire mes textes avant. C'est quoi, ces histoires-là ? Il faut entendre la chanson une fois qu'elle est finie. »

Le tandem tente diverses expériences. Stéphane Venne fait chanter à Renée Claude des airs de toutes sortes, notamment *California Dreamin'*. « Forcément, elle se met à chanter différemment, dit-il. Elle quitte le vibrato qu'elle avait pour chanter le répertoire qu'elle offrait depuis quelques années. Sa voix se transforme. Cette expérience a réaligné mes instincts d'auteur-compositeur et, pour elle, ses instincts d'interprète. On a eu envie tous les deux d'aller vers la même chose. »

On est aujourd'hui tentés d'établir un parallèle entre la mutation que Stéphane Venne fait vivre à Renée Claude et celle que Jean-Jacques Goldman a fait connaître, des décennies plus tard, à Céline Dion quand il lui a appris à « déchanter » et à cesser de multiplier les effets de voix. « Ce fut un long apprentissage pour Renée, car culturellement elle venait du monde de Juliette Gréco ou de Léo Ferré », ajoute Stéphane Venne.

Cinquante ans après ces sessions musicales, on sent bien que ces instants demeurent précieux pour Stéphane Venne. « Aujourd'hui, j'arrive à conceptualiser. Mais à l'époque, l'exercice fut beaucoup plus animal que ça. En fait, on s'est posé les questions suivantes : qu'est-ce que la chanson québécoise ? Qu'est-ce qu'un *hit* ? Pourquoi il faut un *hit* ? »

C'est dans ce contexte que les deux artistes développent une « nouvelle manière » de faire des chansons avec des moyens, des mots et des sonorités plus près d'eux. « Les paroles ne sont pas un texte, explique Stéphane Venne. Elles sont un phénomène acoustique au même titre que les notes. Une chanson, c'est essentiellement quelque chose de non figuratif. »

Cette « organisation acoustique », cette symbiose entre les notes et les mots, est l'apanage de l'auteur-compositeur.

Celui qui fut le premier au Québec à maîtriser l'art de faire « sonner les mots » a appris cette technique en adaptant en série des succès américains pour les chanteurs populaires québécois. Alors qu'il est encore étudiant à l'Université de Montréal, il signe sur commande des versions françaises destinées au marché québécois pour les producteurs Pierre Nolès, Yvan Dufresne, Tony Roman et bien d'autres.

« Ils m'envoyaient le disque en me disant que ça leur prenait le texte en français en fin de journée, se souvient Stéphane Venne. Ça me rapportait 25 $ du texte. À ce moment-là, tu apprends pourquoi un mot en particulier sur une certaine note fait de l'effet. Je me suis dit qu'il fallait que je fasse exactement la même chose avec mes propres compositions. En anglais, on appelle ça *the money note*. »

À partir de là, Stéphane Venne travaillera toujours à obtenir cette jonction parfaite entre le texte et la musique. « Affirmer que le sujet d'une chanson est la clé de son succès est une bêtise totale, lâche-t-il. Donnez le même sujet à 60 personnes différentes, vous allez avoir un *hit* et 59 navets. Une chanson est une ambiance, c'est Piaf qui disait ça. C'est cela que l'on doit viser. »

Alors que le tandem imagine le croisement entre les sons européen et américain afin d'en faire jaillir un qui serait plus près des Québécois, Renée Claude quitte la maison Columbia pour rejoindre le dynamique label Barclay. Fondée par Eddie Barclay en France, la maison s'implante au Canada avec l'intention de bousculer les choses. Les responsables de Barclay Canada veulent des noms prometteurs. Renée Claude est, bien sûr, dans leur mire. La jeune débutante Francine Chaloult est embauchée pour assurer les relations de presse. Elle deviendra une grande amie de Renée Claude.

La maison Barclay veut marquer le coup et espère avoir entre les mains un bon disque de Renée Claude. Stéphane Venne prend de nouveau les commandes. Comme il aime à le répéter : « Moi, je fais tout le projet, sinon rien. » Il s'accorde le rôle de producteur en plus de celui d'auteur et compositeur. Il signe quelques chansons et choisit d'autres auteurs-compositeurs de talent. Malgré son peu d'expérience, Stéphane Venne sait qu'il doit compter sur un filon pour que le disque marche. Et ce filon, il l'a entre les mains.

« En ce qui concerne *C'est notre fête aujourd'hui*, j'étais sûr de mon coup », dit-il. En effet, cette chanson au rythme nonchalant et évolutif sera un véritable raz-de-marée dans les radios. Placés en couches superposées, les percussions, les choristes et les cuivres créent une jouissive pyramide. L'histoire de cette femme qui célèbre le premier anniversaire d'amour avec son amant en lui offrant « un verre d'eau de pluie » touche tout le monde. La manière Venne s'installe.

Stéphane Venne signe également *Les fleurs de papier* d'après un texte de Pierre Létourneau. Pour préparer la sortie du disque, prévue au début de 1969, on lance un 45 tours contenant cette chanson et *Je n'étais rien avant toi*, adaptation française de *Safe in my garden* des Mamas and the Papas. Cette dernière n'est pas la seule adaptation d'une chanson anglophone. Venne s'empare également d'*Et je t'oublierai* (*If I Fell*) et *À soixante-quinze ans* (*When I'm Sixty-Four*) des Beatles.

L'une des réussites de ce disque est sans contredit *Quand le temps tournera au beau*, une chanson originale de Stéphane Venne qui s'ajoute à l'arsenal combattant le climat belliqueux régnant. L'orgue qui cède le pas à la basse et à la batterie est dans l'air du temps, et le compositeur s'en inspire. «Cette musique est clairement un clin d'œil au groupe Procol Harum», reconnaît aujourd'hui Stéphane Venne.

Ce disque comprend également *Guevara*, de Marcel Lefebvre et François Dompierre, *Non, c'est rien*, de Michel Jourdan, une sorte d'étonnante *power ballad* qui n'est pas sans rappeler la chanson *Il m'aimera* que Marcel Lefebvre fera un an plus tard pour Diane Dufresne. Enfin, on trouve deux reprises tout à fait réussies, soit *Que reste-il de nos amours*, de Charles Trenet, et *Je reviens chez nous*, que son auteur, Jean-Pierre Ferland, vient tout juste de créer.

Le disque, qui bénéficie du budget dérisoire de 5000 $, est enregistré entre le 4 octobre et le 17 décembre 1968 au studio que possède alors André Perry au sous-sol de sa résidence de Brossard. «C'était hyper artisanal», dit Stéphane Venne. Le disque est lancé au printemps 1969. L'artiste Vittorio réalise la pochette d'après une photo de Bruno Massenet.

Dans les jours qui suivent le lancement du disque, on voit Renée Claude partout à la télé interpréter *C'est notre fête aujourd'hui* et d'autres chansons du microsillon. La jeune chanteuse est la première surprise par ce succès. Elle trouve toutefois l'effet grisant et fort agréable.

La parution de ce disque coïncide avec l'arrivée de plusieurs nouvelles émissions de télévision dédiées aux jeunes. On imite les Américains en demandant aux vedettes invitées de faire leurs chansons en *playback*. Cela peut paraître anodin, mais alors qu'on découvrait les chansons en version piano-voix ou dans des arrangements fort différents du disque, on les entend maintenant telles qu'elles ont été gravées. Le chemin menant chez les disquaires est nettement plus invitant et facile à prendre.

Renée Claude apprend rapidement à évoluer dans ce nouveau mode et à offrir le meilleur d'elle-même en faisant du *lip sync*. Les caméras de télévision l'aiment, et elle le leur rend bien. Elle va régulièrement à la populaire émission *Jeunesse d'aujourd'hui*, animée par Pierre Lalonde et Joël Denis, pour interpréter ses succès. Louise Collette est alors assistante du réalisateur Jean-Claude Leblanc. « L'émission était enregistrée le samedi soir, à 19 heures. Renée était une énorme vedette. Ses passages étaient toujours très remarqués. Parmi les chanteurs pop, elle avait une place à part », tient-elle à dire.

Perçue comme faisant partie du « clan des chansonniers », Renée Claude se retrouve dans les mêmes émissions que les chanteurs populaires de l'époque : Michèle Richard, Jean Nichol, Renée Martel ou les Bel Canto. « Ces deux genres ne communiquaient pas entre eux, dit François Dompierre. Renée Claude et Robert Charlebois ont contribué à unir ces deux mondes. »

Renée Claude accepte les invitations à ces émissions avec une certaine insouciance. « C'est vrai que ces deux groupes ne se fréquentaient pas, les premiers méprisant les seconds, et les seconds ignorant les premiers, confie-t-elle au *Soleil* en 2006. Moi, je n'ai pas eu ce sectarisme, même si je me sentais beaucoup plus proche des chansonniers. »

Les demandes de spectacles se font par dizaines. Renée Claude sillonne les routes du Québec avec des musiciens pour rencontrer son public. Durant cette période, son pianiste et chef d'orchestre François Dompierre vit une expérience difficile qui lui fera découvrir la loyauté et la bonté de Renée Claude. « Dans ma vie, il y a eu un avant et un après 1968, raconte-t-il. Cette année-là, j'ai fait une névrose. Et ça a été en quelque sorte ma planche de salut. Un soir, avant un spectacle avec Renée, des musiciens et moi avons fumé du pot et bu du cognac. À cette époque, le pot était opiacé. Quand Renée nous a vus dans cet état, elle n'était pas contente. On a quand même donné le spectacle. »

Quelques jours plus tard, François Dompierre se trouve dans un repas familial. Et là, sans aucun avertissement, les effets de la drogue remontent à son cerveau. Il fait une crise devant ses proches. «C'est ce qu'on appelle une crise de distorsion spatiotemporelle, dit-il. Je ne savais plus qui j'étais, où j'étais ni ce que je faisais.» Pendant de nombreuses semaines, François Dompierre reçoit des soins psychiatriques à l'hôpital.

Quatre mois après l'événement, il est toujours amorphe, éteint, isolé. C'est alors que Renée Claude intervient pour le secouer et lui proposer de remonter en selle. Le musicien s'en dit incapable. «J'ai dit à mon psychiatre que je pensais que je devais plutôt continuer ma convalescence. Il m'a dit : "Vous trouvez que c'est mieux de rester à l'hôpital que de faire ce que vous devriez faire pour gagner votre vie en allant travailler avec cette chanteuse ?" L'ostie! Il me coinçait. Il me disait que c'est Renée qui avait raison. Je suis retourné avec elle et je suis redevenu son pianiste et chef d'orchestre.»

Quand il évoque aujourd'hui cet épisode, François Dompierre ne peut s'empêcher d'y voir un signe du ciel. «Avant que cela se produise, j'étais un petit gars talentueux, prétentieux et un peu négligé. Les gens autour de moi disaient que j'avais une fulgurance, mais que si je pouvais corriger mes dièses et mes bémols avant une session d'enregistrement, ça serait moins long et ça coûterait moins cher. Cette expérience a changé ma vie. Renée m'a remis dans le droit chemin et m'a tout pardonné. Il y a eu deux ou trois personnes qui ont joué un rôle capital dans ma carrière, et Renée est l'une de celles-là.»

Cette loyauté, Renée Claude l'aura également des années plus tard pour le pianiste Philippe Noireaut qui fut son partenaire dans l'aventure autour de Léo Ferré. Avant qu'il rencontre la chanteuse, le musicien a dû affronter certains démons. «Au moment d'amorcer le travail avec Renée sur le spectacle de Ferré, j'ai eu des moments de rechute. Je me suis mis à consommer de nouveau. Je n'en menais pas large. Renée a vu cela. Elle m'a dit: "Philippe, tu ne vas pas me laisser tomber, hein?" Ça m'a secoué. Quand j'y pense aujourd'hui, j'ai du mal à en parler. Cette marque de confiance m'a beaucoup aidé.»

L'année 1968 est également celle où Renée Claude remporte au Gala des artistes le Méritas de l'interprète de l'année. Lors de cette soirée, la chanteuse est radieuse. Elle porte une ravissante robe blanche assortie d'une longue écharpe et arbore le bindi indien sur le front. Ce symbole de conscience, de bonne fortune et de festivité est de circonstance. Tout cela vient à sa rencontre.

1969, année historique

ALORS QUE RENÉE CLAUDE PARCOURT LES ROUTES DE LA province en offrant ses chansons remplies d'espérance, l'année 1969 fait tout son possible pour entrer dans l'histoire. Elle y parviendra sans peine. Elle est le théâtre du massacre orchestré par Charles Manson et ses disciples qui assassinent sauvagement plusieurs personnes réunies dans une maison de Los Angeles, dont l'actrice Sharon Tate, conjointe du cinéaste Roman Polanski. Elle permet à Woodstock, ce titanesque festival de musique, de rassembler environ un demi-million de spectateurs sur les terres du fermier Max Yasgur.

L'année 1969 est aussi celle qui réunit dans un studio de radio française Jacques Brel, Léo Ferré et Georges Brassens, trois hommes qui ont croisé le destin de Renée Claude. Elle offre également la suite 1742 du Reine Elizabeth à John Lennon et Yoko Ono afin qu'ils puissent y tenir leur mythique *bed-in* et enregistrer la chanson *Give Peace a Chance*. Cruelle, cette année fait impitoyablement mourir Brian Jones dans sa piscine. Puritaine, elle assiste à l'arrestation de Jim Morrison pour indécence lors d'un concert à Miami.

111

Au Québec, l'année 1969 voit éclater une bombe sur le parquet de la Bourse de Montréal faisant 27 blessés. Elle est à la tête d'une manifestation réunissant 15 000 personnes devant l'Université McGill, venues dénoncer la domination de l'establishment anglophone de Montréal sur le peuple québécois. Elle est celle de l'adoption du *bill* 63, la Loi pour promouvoir la langue française au Québec.

Au printemps de cette année, celle qui chante « Guevara, tu es de mon pays/Guevara, tu es de nos amis » participe au gala des Grands Prix du disque. Elle monte sur scène avec une robe indienne pour y cueillir le trophée de la « meilleure chanteuse sur disque ». Qui est celle que l'on honore ? La chanteuse romantique ? La chanteuse engagée ? La chanteuse pop ? Elle n'a que faire de ces étiquettes. D'ailleurs, chaque fois qu'on aborde ce sujet avec elle, elle répond habilement qu'elle n'est pas « une chanteuse à message », mais qu'elle est une « interprète engagée dans la mesure où on est toujours engagé quand on chante ». Comprenons par là qu'une interprète, selon Renée Claude, a le devoir de faire les bons choix.

En 1969, Renée Claude est une énorme vedette. Elle n'aura finalement mis que quelques années pour s'imposer et devenir un grand nom de la chanson québécoise. Les demandes affluent. Les émissions de télévision se l'arrachent, *Zoom*, animée par Jacques Boulanger, *Du feu SVP*, présentée par Guy Boucher et Françoise Lemieux, de même que *Les 2 D*, du coloré duo formé par Dominique Michel et Denise Filiatrault.

Durant cette période, elle accepte l'invitation d'Isabelle Pierre, alors animatrice de *Magazine éclair*, sur les ondes de la radio de Radio-Canada. Pendant une vingtaine de minutes, Renée Claude répond patiemment aux questions pas toujours originales de ses jeunes *fans* qui sont nombreux à lui téléphoner. Entre chaque appel, on entend l'animatrice appuyer sur les boutons de téléphone afin de permettre aux admirateurs de parler à leur idole. « Qu'est-ce qui vous a donné l'idée de chanter ? » demande timidement une adolescente. « Ce n'était pas une idée, c'était un besoin », répond simplement la chanteuse.

Dans ce tourbillon, Renée Claude et Stéphane Venne se lancent dans la production d'un autre disque. Celui-ci naît rapidement après *C'est notre fête aujourd'hui*, car il s'inscrit dans un projet spécial de l'Association canadienne des auteurs, compositeurs et éditeurs (CAPAC), qui tend à réunir les auteurs du Québec et ceux du reste du Canada. « Il y avait un programme de subventions et je m'en suis prévalu au plus crisse pour faire ce disque », se souvient Stéphane Venne. Cette subvention explique la présence d'auteurs-compositeurs anglophones comme Murray McLaughlin, Joe Hall et Judy Landers.

Encore une fois, Stéphane Venne crée une locomotive pour le train qu'il veut mettre en marche. Ce sera *Le tour de la terre*. Pour composer ce futur grand succès, il s'inspire de *Let the Sunshine In*, de la comédie musicale *Hair*. « La chanson que j'ai faite ne ressemble absolument pas au bout du compte à celle de *Hair*, dit-il. L'important, ce n'est pas d'où tu pars, c'est où tu arrives. Je pourrais vous citer un paquet d'exemples de chansons où je suis parti d'autre chose. Je ne me gêne pas pour le dire. »

Cette chanson marie étonnamment bien la guitare électrique (celle de Michel Robidoux), aux cuivres et aux cordes. « C'est ma marotte de combiner des choses qui ne vont pas ensemble, dit Stéphane Venne. Il faut écouter la ligne de basse dans cette chanson. C'est un génie qui la jouait, Jean-Guy Chapados. Cette chanson n'a rien de français. Quand on dit que Renée et moi avons créé un son typiquement québécois, c'est exactement ça. »

En pleine révolution sexuelle, *Le tour de la terre* fait un malheur. Les femmes s'identifient à son interprète qui inspire la liberté et l'indépendance. Quant aux hommes, ils craquent littéralement en entendant une aussi belle femme leur dire que lorsqu'elle sera « redevenue docile » elle reviendra « près de toi mon amour ». « *Le tour de la terre* est la chanson la plus féministe que j'ai écrite, dit Stéphane Venne. C'est l'histoire d'une fille qui dit : "Ciao ! Je m'en vais faire le tour du monde, je reviendrai quand je le voudrai et, pendant ce temps, tu n'as qu'à m'attendre." »

Ce disque confirme la transformation musicale de Renée Claude. Pour plusieurs *fans*, ce passage est réussi. Mais pour d'autres, plus puristes, ce changement est dur à encaisser. « C'est sûr que j'ai senti que mon public changeait, dit la chanteuse.

J'ai perdu une part de celui qui me suivait depuis le début, mais j'ai gagné une autre part. Au bout du compte, ils étaient pas mal plus nombreux. »

François Dompierre croit que ce passage était incontournable. « Je comprends tout à fait que certains chanteurs, qu'on appelait les chansonniers, ont vu l'intérêt de faire bouillir la marmite, dit-il. Ils ont compris qu'il n'y avait pas juste Jenny Rock qui avait le droit de gagner sa vie. Ils réalisaient qu'on pouvait être bons et populaires en même temps. »

Mais contrairement à Serge Gainsbourg qui a dit qu'il avait retourné sa veste le jour où il avait compris qu'elle était doublée de vison, Renée Claude conserve une partie de son ancienne doublure. Sur ce disque, on trouve des chansons encore très proches de son ADN musical. *Encore une fois*, de Clémence DesRochers, en est un bon exemple. Renée Claude s'approprie somptueusement cette chanson que Diane Dufresne gravera également sur 45 tours en 1971. « C'est une histoire d'amour que j'ai écrite pour quelqu'un sur lequel j'ai eu un gros *kick*, raconte son auteure. J'ai voulu écrire sur cet état qui fait qu'on a parfois envie de prendre l'épouvante quand on tombe en amour. »

On y trouve aussi deux petites merveilles : *Reste à dormir*, de Robert Gauthier et François Dompierre, et *Lorsque nous serons vieux*, de René Letarte et Dany Bolduc. Subventions obligent, Renée Claude interprète *Je saurai que je ne t'aime plus*, de Judy Landers, *Doux amer*, de Joe Hall, de même que trois adaptations de Murray McLaughlin, dont *Si je dis oui*.

Même si l'exercice demeure intéressant, on sent bien que ces chansons d'auteurs-compositeurs anglophones collent plus ou moins à la peau de Renée Claude. Celle-ci, désireuse de séduire le marché anglophone, lance un 45 tours contenant *Once* et *The Simplest Thing*, les versions anglophones du *Tour de la terre* et *Reste à dormir*. L'accent français de Renée Claude est gros, la traduction est maladroite. Cette tentative sera un coup d'épée dans l'eau.

Durant l'été 1969, Renée Claude participe avec Gilles Vigneault et Jean-Pierre Ferland à un spectacle organisé par l'Office d'information et de publicité du Québec à l'occasion de la Conférence des premiers ministres des provinces du Canada sur le bateau *L'Escale*. Certains médias s'intéressent à la somme de 15 000 $ qu'a coûtée ce spectacle offert à des gens «qui ne comprennent même pas la langue de Molière», précise *Télé-Radiomonde*. Si Vigneault et Ferland touchent chacun près de 2500 $ pour leur prestation, on apprend que Renée Claude, grande vedette de l'heure et seule femme du groupe, obtient seulement 1000 $. Cette injustice s'ajoute à d'autres que l'artiste range dans un coin de sa mémoire. Un jour, elle les exprimera haut et fort.

En novembre, elle se rend à Paris pour représenter le Canada à la dernière édition du concours international *Chansons sur mesure*. Lors de cet événement, qui sera plus tard remplacé par le concours de Spa, en Belgique, elle présente *Le geste*, de Jacques Blanchet. Georges Dor y va également pour défendre sa *Chanson pour Margot*. Les deux participants québécois terminent, respectivement, en troisième et quatrième places.

Le monde des arts se nourrit de plusieurs adages, notamment de celui qui dit qu'il faut « être là au bon moment ». En cette année 1969, c'est précisément ce qui se produit pour Renée Claude. Elle arrive avec des chansons que le public avait envie d'entendre exactement à ce moment-là. Les mots qu'elle leur sert leur font du bien, ils les réconfortent autant qu'ils les font rêver.

Dans le documentaire *Un cœur apaisé*, Stéphane Venne met des mots justes sur ce qui se passe durant cette année. « À cette époque, le peuple québécois a une misère du diable à se définir. Et tout à coup, il arrive une artiste et tu te dis : "Merde ! Ça me ressemble ! J'aimerais être elle, et elle est déjà un peu moi !" Renée a contribué à mettre des couches de définition qui ont aidé l'âme québécoise à se déployer. »

Dans la carrière de tous les grands artistes de la chanson, il y a un moment qui est constitué de l'effet grisant que procure le décollage. Celui où les propulseurs sont mis en marche. Cet instant est celui que vit Renée Claude à la fin de cette année historique.

Parmi les étoiles

LES ANNÉES 1970 ET 1971 SONT SANS CONTREDIT LES PLUS chargées de la carrière de Renée Claude. La reconstitution de son agenda donne littéralement le vertige. À voir le nombre d'engagements et de projets, on se demande comment elle a pu faire pour tenir le coup durant cette période. Pour celle qui est « née fatiguée » et qui a connu toute sa vie de sérieux problèmes d'insomnie, cette traversée de la gloire a dû être terriblement exigeante.

Après avoir amorcé la nouvelle décennie en prenant part aux festivités soulignant le cinquième anniversaire du Patriote, elle s'installe pendant une semaine, du 22 au 28 février, à guichets fermés, à la Comédie-Canadienne. Jacques Boulanger assure la première partie du spectacle. Stéphane Venne, qui dirige un orchestre de sept musiciens, accompagne Renée Claude dans *Reste à dormir, Pendant que, Encore une fois, Je n'aurai pas le temps, Les fleurs de papier, L'idiote aux cloches, C'est notre fête aujourd'hui, La marche nuptiale, Je n'sais rien, Shippagan, Tout l'monde est malheureux, Sais-tu que je t'aime depuis longtemps, Ne pars pas, Donne-moi le temps, Les gens de mon pays, Tu es le même, Guevara, Vivre* et *Le tour de la terre.*

Cette fois, contrairement à son dernier passage dans cette salle, la chanteuse triomphe. Michel Bélair, du *Devoir*, signe une critique fort élogieuse de ce spectacle considéré aujourd'hui comme l'un des meilleurs de sa carrière. Il évoque «un son Renée Claude». Guy Latraverse, qui produit le spectacle, organise ensuite une grande tournée qui la conduit partout au Québec.

Au printemps, lors de la soirée des prix Orange et Citron décernés par les journalistes, elle reçoit un prix Orange remis aux artistes «les plus gentils». Yvon Deschamps le reçoit chez les hommes. Elle est surprise que le choix se porte sur elle, alors que les journalistes la trouvent souvent froide et distante. Un voyage en Guadeloupe accompagne le trophée. Elle saura en profiter.

Durant l'été 1970, elle chante trois soirs à guichets fermés au kiosque international de Terre des Hommes, puis représente le Canada aux Olympiades de la chanson d'Athènes. Au départ, elle doit interpréter une nouvelle chanson de Stéphane qui a pour titre *Tu trouveras la paix*. Mais cette idée est rejetée pour des raisons politiques. «Radio-Canada m'avait demandé de composer une chanson pour Renée, raconte Stéphane Venne. J'ai fait *Tu trouveras la paix*. Pour moi, c'était une chanson sur la paix intérieure, la paix intime. Mais en Grèce, où l'on connaissait la dictature des colonels, on a vu là un symbole de chanson pacifiste. Ils l'ont refusée. Renée a dû en faire une autre. »

On se tourne alors vers Jean-Loup Chauby et Germaine Dugas qui lui composent *À trop hésiter*. Toute l'équipe s'envole début juillet pour la Grèce, un pays que Renée Claude rêve de découvrir. L'hebdomadaire *Photo-Journal* dépêche les journalistes Lucette Labrosse et Lisette Grenier pour couvrir en long et en large la visite de la chanteuse au pays de l'Acropole. Le récit prend la forme d'un méga publireportage sur les troisièmes Olympiades de la chanson d'Athènes. Ce long récit commence par la description du repas gastronomique aux chandelles que prend la chanteuse à bord de l'avion. Au menu : steak à la Châteaubriand et langoustines.

Les Olympiades ont lieu dans le stade d'Athènes. Trente-huit pays y participent. Le 10 juillet, rongée par le trac, Renée Claude interprète *À trop hésiter* devant 50 000 personnes. Elle est accompagnée par un orchestre de 70 musiciens. Le 12, elle fait partie des 20 pays finalistes. Mais le Canada n'obtient, au bout du compte, aucun prix.

Elle se rend ensuite à Osaka en août, où se déroule l'Exposition universelle. Elle tient l'affiche durant deux semaines au pavillon du Canada. Sur place, elle surprend tout le monde en lançant la nouvelle campagne publicitaire de Coke, dont elle est la tête d'affiche. Juste avant son camarade Donald Lautrec qui a chanté pour Coca-Cola la ritournelle *Terre d'amour*, version française de *In Perfect Harmony*, Renée Claude est choisie pour interpréter *Coke... le vrai de vrai*, version québécoise de *It's The Real Thing*.

C'est Stéphane Venne qui adapte la campagne de Coke chez nous. Ce dernier composera plus tard pour Pepsi, l'éternel concurrent de Coca-Cola, *C'est dans la tête qu'on est beau*. Renée Claude, qui avait souvent reçu des propositions d'association publicitaire, accepte celle de Coke parce que le concept implique une véritable chanson. Les plus observateurs remarqueront que la chanteuse ne prononce jamais le mot « Coke », le laissant aux choristes. « Renée avait posé cette condition », dit André Ducharme.

La campagne remporte un grand succès. La voix chaleureuse de Renée Claude donne envie de se désaltérer avec la populaire boisson gazeuse. À cette rare incursion dans le monde publicitaire s'ajoutera celle de la campagne des caisses populaires Desjardins pour laquelle elle prête sa voix lorsque Stéphane Venne compose *C'est toi, c'est moi, c'est lui, c'est nous autres*, une ritournelle qui sera transformée plus tard en chanson. Au début des années 1980, elle acceptera d'être la porte-parole de Bell en fredonnant « Jamais je ne t'oublierai ».

À son retour du Japon, elle offre trois spectacles à la salle Wilfrid-Pelletier en compagnie des musiciens de l'Orchestre symphonique de Montréal dans le cadre des concerts populaires enregistrés par Radio-Canada. L'orchestre est dirigé par le chef invité Léon Bernier, arrangeur et directeur musical de Radio-Canada. Les musiciens, habitués à interpréter des œuvres de Beethoven ou Chostakovitch, sont visiblement mal à l'aise de se retrouver dans cet univers pop. Elle chante ses grands succès ainsi qu'une chanson avec laquelle elle ouvrait et fermait son spectacle quelques mois plus tôt à la Comédie-Canadienne : *Le début d'un temps nouveau*.

Alors que son disque *Le tour de la terre* est au sommet des ventes au Québec, elle et Stéphane Venne, inséparables, préparent déjà la sortie de son prochain opus. Une fois sur disque, cette nouvelle chanson a littéralement l'effet d'une bombe. *Le début d'un temps nouveau* trônera pendant des semaines à tous les palmarès des radios. En chantant « C'est le début d'un temps nouveau/La terre est à l'année zéro/La moitié des gens n'ont pas trente ans/Les femmes font l'amour librement/ Les hommes ne travaillent presque plus/Le bonheur est la seule vertu », Renée Claude symbolise l'espoir dont les gens, la jeune génération en particulier, ont besoin en cette période trouble.

Sur la pochette, où elle apparaît dans une robe fleurie, des bagues à chaque doigt et de nombreux colliers autour du cou, elle offre l'image d'une femme en accord avec son temps. Quant à la poésie de Stéphane Venne, elle emprunte à son époque des mots et des expressions qui font voyager : « On connaît les détours du tour du monde/On a des yeux de ciné-rama/Nos âmes sont devenues des ballons-sondes/Et l'infini ne nous effraie pas. » L'auteur prouve une fois de plus qu'il est passé maître dans l'art de fondre les mots dans la musique. Ou le contraire.

Cinquante ans après sa création, cette chanson demeure celle qui unit le mieux la chanteuse à l'auteur-compositeur. En 2016, la pièce et son créateur ont reçu, lors du gala de la SOCAN, le Prix Empreinte culturelle soulignant l'importante contribution de cette œuvre musicale à la société québécoise.

L'autre grand succès de cet album est *Viens faire un tour*, de Michel Conte, qui fut l'une des 1600 chansons inscrites au gala de La Clé d'or, une compétition instaurée par Jacqueline Vézina et diffusée sur les ondes de Télé-Métropole. Défendue par Renée Claude, la chanson remporte le premier prix et envahit les radios québécoises.

Avec ce disque, l'interprète attaque de front le répertoire de Robert Charlebois en reprenant *La fin du monde*. Cet étonnant mariage artistique, mais fort réussi, sera renouvelé à quelques reprises au cours des années suivantes. Qui aurait dit que le turbulent grand frisé et la gracieuse chanteuse à la voix de velours allaient former un jour un couple artistique ?

Sur ce troisième microsillon du tandem Venne-Claude, il y a également *La rue de la Montagne* où la chanteuse, sous la plume de son auteur, brosse un charmant tableau du bonheur que peut offrir Montréal durant la douce saison. Et puis, il y a *Sais-tu que je t'aime depuis longtemps*, un chef-d'œuvre de sensualité sur fond de clavecin. « Parmi toutes les dimensions de Renée, l'érotisme est là, dit l'auteur-compositeur dans le documentaire *Un cœur apaisé*. Cette dimension de Renée était annonciatrice de ce qui est devenu, par la suite, un trait de l'identité spontanée et facile de la majorité des femmes québécoises. Elles étaient autorisées tout à coup à entrer dans le monde magique, mais angoissant et stimulant, de l'érotisme. »

Le disque *Le début d'un temps nouveau* est lancé en septembre 1970. On voit Renée Claude partout à la télévision. Au *Donald Lautrec Show*, elle apparaît avec un look hippie chic qui n'est pas sans rappeler celui de la chanteuse Cher. Elle travaille énormément. Son entourage est estomaqué. André Gagnon se souvient, alors qu'ils étaient en vacances sur la côte est américaine, de l'avoir vue prendre l'avion pour aller faire *Jeunesse d'aujourd'hui* et ensuite revenir sur la plage.

En janvier 1971, elle offre une série de 10 spectacles à la salle Maisonneuve de la Place des Arts et une tournée en province. Certains journalistes doutent qu'elle puisse attirer les 13 000 spectateurs attendus. Elle y parviendra et saura être à la hauteur.

Cette série de spectacles lui fait de nouveau vivre la fameuse expérience de l'après-spectacle, ce moment où, encore portée par les bravos et la musique, la chanteuse doit se consacrer à ses admirateurs ou à ses proches. Renée Claude encaisse difficilement ce virage. De leur côté, les *fans* ont dû mal à comprendre la distance que Renée Claude désire mettre entre l'artiste et la femme. « Après les spectacles, les gens voulaient lui toucher, lui parler, dit André Ducharme. Elle n'osait pas dire que, pour elle, ça s'arrêtait là. »

Durant toute sa carrière, Renée Claude s'est fait un devoir de séparer la chanteuse de la femme. Pour elle, c'étaient deux choses absolument distinctes. « Dès que Renée s'est mise à mener une carrière professionnelle, elle refusait de chanter dans les réunions familiales, dit son frère Michel. Avec nous, elle tenait à être la sœur, pas la chanteuse. »

Son conjoint Robert Langevin a entendu plusieurs fois sa compagne chanter à la maison, mais uniquement lorsqu'elle répétait au piano. « Pour le reste, je ne l'ai jamais vue chanter autrement que sur scène, dit-il. La seule exception fut pour mes 40 ans. Elle m'a préparé une petite fête intime et m'a chanté *Un gars comme toi*. »

Après la Place des Arts, elle enchaîne avec une longue tournée au Québec, puis se rend en URSS effectuer une tournée de 6 semaines au cours de laquelle elle donne 33 spectacles dans plusieurs villes, dont Moscou, Minsk et Tbilissi. Avant elle, Gilles Vigneault, Monique Leyrac, Pauline Julien et Claude Léveillée sont allés chanter derrière le rideau de fer. Cette expérience est marquante pour Renée Claude.

Elle s'y rend en compagnie de trois musiciens, dont le pianiste Marcel Rousseau. Sitôt la tournée entamée, les journaux du Québec rapportent une dépêche de l'agence Tass qui affirme que la chanteuse remporte un « grand succès ». Après les spectacles de Leningrad et Minsk, les critiques écrivent que l'interprète québécoise chante avec une sincérité « venant du fond du cœur ».

De l'URSS, elle se rend à Cannes retrouver son nouvel agent, Pierre David. Celui qui deviendra producteur de cinéma (*J'ai mon voyage*, *Les colombes*, *Je suis loin de toi mignonne*, etc.), est dynamique et organise alors les tournées des Productions Mutuelles. Il succède à Guy Latraverse qui se remet d'une faillite. Le but de ce voyage est de faire connaître Renée Claude à des réalisateurs et producteurs. Pierre David entrevoit une carrière cinématographique de comédienne pour la chanteuse.

Sur la Croisette, elle fait le point sur sa récente tournée avec quelques journalistes québécois. Elle raconte avoir été surprise de la grande disparité des prix. Alors que les spectateurs payaient 2,50 $ pour assister à son spectacle, les *fans* des Beatles devaient débourser 70 $ pour s'offrir un disque des Fab Four. Elle souligne qu'elle et ses musiciens ne se sont pas enrichis avec cette tournée, car ils étaient payés en partie en dollars et en partie en roubles. Ils devaient dépenser sur place l'argent russe gagné lors des spectacles. «C'est embêtant, car on ne pouvait rien acheter de valable là-bas pour se débarrasser des roubles», déclare-t-elle.

À son retour à Montréal, elle donne quelques spectacles. Mais l'artiste est exténuée. «Elle s'effondre dans les bras de son pianiste», rapporte un journaliste de *Télé-Radiomonde* qui assiste un soir à une représentation. Le médecin de Renée Claude lui ordonne de se reposer. Craignant les effets de la surexposition, elle décide de se faire discrète. Dans les mois qui suivent, elle refuse les demandes de spectacles et d'émissions de télévision. Ce temps d'arrêt lui permet de faire le point sur sa carrière.

Tout va vite. Beaucoup trop vite. Au rythme d'un disque chaque année et d'incessantes tournées au cours de la dernière décennie, l'artiste est épuisée. Son agent Pierre David a des projets pour elle à l'international. Mais elle a du mal à voir clair dans tout cela et à prendre les décisions qui s'imposent. Pour mieux réfléchir, elle s'offre des vacances en Russie. La récente tournée lui a fait connaître la beauté de ce pays. Mais aussi un amant mystérieux.

Stéphane Venne est très en demande. Il écrit et compose pour Pierre Lalonde, Isabelle Pierre et Emmanuëlle. À cette époque, le public et les journalistes remarquent certaines similitudes entre Isabelle Pierre et Renée Claude. Cela agace l'une autant que l'autre. L'auteur-compositeur reconnaît aujourd'hui qu'il y avait une certaine rivalité entre Isabelle Pierre, pour qui celui-ci avait écrit l'immense succès *Le temps est bon*, et sa muse des dernières années. «J'ai toujours pensé que c'étaient deux chanteuses complètement différentes, dit-il. Isabelle avait un côté diaphane, alors que Renée était plus charnelle.»

Les journaux à potins s'attardent également à échafauder un scénario hollywoodien autour de la supposée rivalité entre Renée Claude et Emmanuëlle. Ces ragots sont pour Renée Claude comme de l'eau sur le dos d'un canard. Rivales ou pas, les deux femmes feront taire les journaux en partageant quelques années plus tard la même scène lors d'un spectacle rassemblant les chansons de Stéphane Venne.

Malgré un nombre grandissant d'interprètes gravitant autour de l'auteur-compositeur, Renée Claude et lui se mettent à travailler à un quatrième disque. Il est d'ores et déjà décidé que la chanson refusée au concours d'Athènes, *Tu trouveras la paix*, sera au cœur de ce microsillon. Il lui procurera même son titre. Cette chanson, l'une des préférées de Renée Claude, est la quintessence du son Venne-Claude. Constituée d'un seul refrain interprété cinq fois, cette chanson place en son centre un pont dans lequel on dit : « Ils sont au-dedans de toi/ Les plus merveilleux couchers de soleil/Ils sont au-dedans de toi/Ils attendent que tu les réveilles. » Devenue un hymne célébrant l'apaisement après la guerre et les luttes, cette œuvre trouve aujourd'hui des tonnes de résonances.

L'un des autres coups de génie de cet album est l'adaptation de l'*Arioso* de Jean-Sébastien Bach qui, sur des paroles de Stéphane Venne, devient *Vivre doucement*. « J'ai mis six mois à écrire ce texte, dit Stéphane Venne. La phrase musicale de Bach est d'une terrible complexité, mais aussi d'une terrible logique. Étais-je capable de faire avec des mots la même courbe, d'obtenir les bonnes *money notes* ? Ce sont à mon avis les meilleures paroles que j'ai écrites dans ma carrière. »

On trouve également la chanson *Salut*, dont Michel Tremblay signe le texte et François Dompierre la musique. Les deux comparses ont créé un an plus tôt *Demain matin,*

Montréal m'attend au Jardin des Étoiles de Terre des Hommes. Un matin, Michel Tremblay prend le téléphone et appelle Renée Claude pour lui annoncer qu'il a envie de lui écrire une chanson. « Moi, je suis toujours prêt à attaquer mes journées à 8 h 30, raconte l'auteur. J'avais oublié que Renée dormait toujours très tard. Je lui dis que j'ai eu une idée de chanson. Elle me dit : "Oui, oui, mais rappelle-moi plus tard." J'écris le texte, Dompierre fait la musique, elle fait la chanson sur disque et en spectacle, tout est beau. »

Quelques mois plus tard, John Goodwin et Paul Buissonneau demandent à Tremblay et Dompierre d'allonger la pièce musicale *Demain matin, Montréal m'attend* pour en faire une véritable comédie musicale qui sera présentée au Théâtre Maisonneuve. « C'est là que j'ai fait l'une des pires gaffes de ma vie, dit Michel Tremblay. Il me manquait une chanson pour le personnage de Marcel Girard, inspiré de Michel Girouard. Je décide de lui attribuer *Salut*. Je me disais que c'était parfait pour lui, le personnage vient de quitter son chum et ça cadrait bien. Dompierre et moi, on n'a pas pensé une seconde que nous l'avions déjà offerte à Renée. Et moi, je ne me suis pas dit que c'est une chose qui ne se faisait pas. »

Le soir de la première de la nouvelle mouture de *Demain matin, Montréal m'attend*, Renée Claude est dans la salle. Quand elle entend la chanson qu'on lui a offerte quelques mois plus tôt, elle saute au plafond. « Après le *show*, elle arrive en furie en coulisses, dit Tremblay. Elle, qui est si fine en temps normal, n'était pas contente du tout. Je lui ai fait part de ma naïveté. Elle a accepté ça. Elle est repartie pas très souriante. Le lendemain, je lui ai envoyé des fleurs et un mot d'excuse. Elle n'a plus jamais rechanté cette chanson.»

Le disque *Tu trouveras la paix* est enregistré dans des conditions difficiles. La chanteuse n'est pas au sommet de sa forme et sent autour d'elle une urgence d'agir. Lorsque vient le temps d'assurer la promotion, elle fait preuve d'une étonnante franchise devant les journalistes. «Malheureusement, il y a des choses qui ont été garrochées, dit-elle aux animateurs de l'émission radiophonique *Samedi jeunesse*, en décembre 1971. On n'est pas tout seul quand on fait un disque. Il y a des choses qu'on ne peut pas contrôler. Il y a eu un mauvais *timing*. Je pense que le disque est quand même bon parce que les chansons sont bonnes. Moi, je suis pas pire.»

Renée Claude repart sur la route avec de nouvelles chansons dans ses bagages. Occupé à travailler sur d'autres projets, Stéphane Venne n'est pas avec elle sur scène. «C'est souvent comme ça que ça s'est passé avec les chanteuses avec lesquelles j'ai travaillé», dit-il. La chanteuse s'entoure de nouveaux musiciens pour ses spectacles, notamment Michel Robidoux, Bill Gagnon, Denis Farmer et Marcel Rousseau. La présence de ce quatuor confère un son différent, nettement plus rock, aux chansons de Renée Claude. «Quand Diane Dufresne est arrivée, Pauline Julien s'en foutait éperdument, dit François Dompierre. Monique Leyrac encore plus. Mais pas Renée! Elle ne s'en foutait pas.»

Un soir, Stéphane Venne décide d'assister incognito à l'un des spectacles de Renée Claude. Il est renversé par la trop forte présence des musiciens. Il ne reconnaît plus la chanteuse. Ni ses chansons. « C'était abominable, dit Stéphane Venne. On n'entendait plus Renée. Il y avait des trucs qui relevaient du rock'n'roll. Or, Renée n'est pas une rockeuse. C'était vraiment un mauvais spectacle. Les gens se levaient à la fin pour partir. Elle a pris ça pour un *standing ovation*. Je me suis dit : "Ça va mal à' *shop*." J'ai écrit une lettre à Pierre David dans laquelle je lui disais que, si les choses ne changeaient pas, je m'en allais. En plus, ce qui n'arrangeait rien, notre relation amoureuse était en passe de ne plus exister. »

Après cinq ans d'une intense et fertile collaboration, l'auteur-compositeur et l'interprète prennent leurs distances. Cette séparation est douloureuse pour Renée Claude et Stéphane Venne. À Louise Cuerrier, animatrice de l'émission radiophonique *Cosmik*, diffusée à Radio-Canada en 1972, la chanteuse confie : « C'est dur sur le coup parce qu'on quitte une habitude. C'est comme être avec son mari, on l'aime encore, mais ce n'est plus comme avant. On s'ennuie, mais on n'ose pas le laisser, car on est habituée d'être avec lui. On sait qu'il faut partir quand même. »

Renée Claude trouve chez ses amis le réconfort dont elle a besoin. Luc Plamondon fait partie de ceux avec lesquels elle ose partager ses états d'âme. L'ex-étudiant en histoire de l'art et la chanteuse se sont connus deux ans plus tôt lors d'une rencontre organisée par André Gagnon sur la terrasse du Café de la Montagne. Le soleil, très présent ce jour-là, monte la garde devant la beauté de Renée Claude.

«Je m'apprêtais à partir pour San Francisco, raconte Plamondon. Renée n'allait pas bien. Elle m'a dit: "J'ai toujours rêvé d'aller là." Dédé a ajouté: "Mais pourquoi tu n'y vas pas avec Luc?"»

Des années plus tard, André Gagnon a utilisé une délicieuse formule pour dépeindre cette rencontre: «Luc et Renée sont partis en se vouvoyant. Et ils sont revenus en se tutoyant.»

Rarement dans l'histoire de la musique québécoise un changement de pronom n'aura été aussi bénéfique.

Elle reprend son souffle
(mais pas trop)

LE DÉBUT DES ANNÉES 1970 MARQUE L'APOGÉE DE LA
contre-culture. Les jeunes prônent l'amour libre, la non-
violence et la fin des valeurs matérialistes. On manifeste pour
la libération des femmes, contre la guerre au Viêt Nam, contre
les inégalités raciales. Patchouli et cheveux au vent, les hippies
descendent dans la rue et multiplient les revendications.
Pour mieux prendre part à ce vaste mouvement, on se rue
sur la côte ouest des États-Unis, plus particulièrement à
San Francisco.

C'est dans ce contexte que Luc Plamondon, alors dans la
vingtaine, décide d'effectuer un long séjour en Californie. Ce
globe-trotter polyglotte s'intéresse à l'art et à la littérature.
Éternel flâneur et infatigable marcheur, il aime arpenter les
rues des villes, quand ce ne sont pas leurs musées ou leurs
galeries d'art.

Ce grand rêveur profite de ces balades pour imaginer des
textes de chanson. Celui qui bâtira sa réputation sur une

prose à la fois brute et lyrique noircit des cahiers. Un soir, au cours de sa fameuse évasion en compagnie de Renée Claude, le grand timide qu'il est aborde le sujet avec la chanteuse. «On avait réservé une chambre à Santa Barbara et on marchait sur la plage, raconte Plamondon. J'ai profité de ce moment pour lui dire que j'écrivais secrètement des textes. Renée est restée muette. Je ne savais plus quoi dire. Plus tard, elle m'a confié que ça avait été l'un des moments les plus gênants de sa vie. Pour une chanteuse, devoir refuser à un ami une telle proposition est quelque chose de très difficile.»

Il faut dire que, au moment où l'interprète et le poète aux cheveux bouclés font ce voyage, Plamondon n'a pas eu la chance de faire connaître son talent. L'esprit trouble de leur relation n'arrange rien. «Au départ, Renée a eu un *kick* sur moi, dit Plamondon. Elle trouvait que j'avais de très belles dents.» La rencontre de ces deux éternels romantiques sera du bonbon pour les potineurs de l'époque. «Il est jeune et beau avec sa tête frisée. Il faut dire que Renée Claude ne manque pas de goût», écrit *Télé-Radiomonde* en mettant en opposition ce nouveau venu avec Stéphane Venne.

Le parolier en herbe rentre au Québec au printemps 1970. Il montre à son ami André Gagnon des textes qu'il a écrits. «Il m'a dit que c'étaient des poèmes, pas des chansons, dit Plamondon. Ça m'a énervé. J'ai voulu lui montrer que j'étais capable de faire de vrais textes de chanson.» L'auteur glane alors autour de lui des idées, des couleurs, des sensations et les rassemble dans une histoire. «Dédé conduisait une Camaro bleue et, moi, je rentrais de San Francisco, raconte-t-il. J'ai pris ces choses et j'en ai fait la chanson *Les chemins d'été (Dans ma Camaro)*. »

La chanson devient un énorme *hit* au Québec. Habitué à entendre des adaptations de succès américains ou des reprises de chansons françaises, le public succombe à cet irrésistible refrain interprété par le très filiforme et sexy Steve Fiset. Cette chanson sera la carte de visite de Plamondon. C'est d'ailleurs en l'entendant que Monique Leyrac a l'idée de lui confier un projet très spécial : l'écriture de textes destinés à rencontrer des airs classiques. C'est grâce à cet exercice qu'est né la merveilleuse *C'est ainsi que je veux vivre*, d'après une aria de Villa-Lobos.

En juillet 1971, Monique Leyrac présente ce projet artistique dans le cadre d'un spectacle à la salle Wilfrid-Pelletier en compagnie de l'Orchestre symphonique de Montréal. Heureux hasard, Diane Dufresne et Renée Claude sont dans la salle. « Elles se sont jetées toutes les deux sur moi pour que je leur écrive des chansons », confie Plamondon à une journaliste du *Nouvelliste*, en 2017. Le parolier dira oui aux deux.

La première chanson que Plamondon offre à Renée Claude est *J'ai besoin d'un grand amour*, sur une musique d'André Gagnon, que la chanteuse met sur le disque *Tu trouveras la paix*, paru à la fin de 1971. Cette chanson scelle la relation entre les trois amis qui, chacun à sa façon, seront d'un apport inestimable à la chanson québécoise.

Alors que Renée Claude tente de guérir sa peine d'amour avec Stéphane Venne, elle découvre qu'elle a un auteur de talent entre les mains. Elle comprend que Luc Plamondon saura être à l'écoute et créer des textes qui lui colleront à la peau. Les deux amis ont plusieurs points en commun, entre autres celui de cultiver l'art de l'oisiveté. Ils sont aussi des oiseaux de nuit. Lorsqu'ils sont à Montréal, ils apparaissent ensemble aux premières. Ils assistent tous les deux à l'explosion que connaît la chanson québécoise.

Bousculés par les créateurs de l'*Osstidcho*, ils veulent, à l'instar de nombreux artistes québécois, donner un sérieux coup de barre à leur bateau. C'est le cas de Jean-Pierre Ferland qui, après avoir vu la reprise du spectacle à la Place des Arts, est retrouvé en larmes par Guy Latraverse dans la rue Sainte-Catherine. La réponse de Ferland à ce choc sera le disque *Jaune*, une œuvre majeure de l'histoire de la musique au Québec.

Alors qu'a lieu ce fabuleux maelstrom, Renée Claude doit composer avec un disque dont elle n'a pas tellement envie de faire la promotion et une peine d'amour dont elle a du mal à se remettre. «Disons qu'elle a beaucoup souffert de cette séparation», se souvient Luc Plamondon. Malgré tout, elle trouve l'énergie et le courage d'effectuer au début de 1972 une deuxième tournée en ex-URSS.

Quand elle s'y rend en mai, un grand sujet anime les discussions des Russes et des Québécois: le fameux championnat de hockey qui doit opposer le Canada à l'Union soviétique. Cette rencontre historique qui sera baptisée plus tard « Série du siècle » comprend huit rencontres qui doivent avoir lieu entre le 2 et le 28 septembre. Quatre mois avant cet affrontement, Renée Claude effectue une grande tournée chez les redoutables adversaires.

Le voyage permet à la chanteuse d'offrir cette fois-ci 25 spectacles dans une dizaine de villes. Pour réussir ce tour de force, elle s'entoure de musiciens de haut calibre : le pianiste Marcel Rousseau, le bassiste Yves Laferrière, le guitariste Robert Stanley et le batteur Denis Farmer. Le joyeux groupe va vivre une expérience extraordinaire.

« On nous avait dit de ne pas parler aux gens et de se méfier de tout le monde, raconte Yves Laferrière. Finalement, on a fait des rencontres fabuleuses. Denis Farmer avait apporté plein de cassettes de musique. Les jeunes Russes connaissaient tous ces artistes. On faisait la fête tous les soirs, mais pas Renée. Elle se préservait pour ses spectacles. »

La tournée entraîne la chanteuse et ses musiciens dans plusieurs villes, dont Moscou et Saint-Pétersbourg (alors Leningrad), où Renée Claude chante dans un théâtre de 6000 places. Ils se rendent également en Estonie et en Crimée. Évidemment, la rivalité en vue du championnat de hockey alimente les discussions. « Les Russes nous disaient en blaguant qu'ils allaient nous planter », dit Yves Laferrière.

L'une des grandes vedettes de hockey en Russie est alors Aleksandr Maltsev. On sait déjà qu'en vue du championnat il fera partie de l'équipe russe. Le joueur craque pour la belle chanteuse et organise un souper en son honneur dans un restaurant. « Il a installé Renée à côté de lui, mais il a parlé de hockey toute la soirée avec les gars autour de la table, se souvient Yves Laferrière. Pour se faire pardonner, il lui a offert sa montre de luxe à la fin de la soirée. C'est clair qu'il la trouvait de son goût. »

À son retour de la Russie, Renée Claude fait le point sur sa carrière avec quelques journalistes au restaurant Chez son Père, avenue du Parc. La chanteuse travaille beaucoup. Elle confie qu'elle a parcouru plus de milles au cours de la dernière année que dans les 10 premières de sa carrière. Celle que tout le monde s'arrache a établi un record : 120 spectacles en un an. Elle profite de l'occasion pour annoncer qu'elle prépare un nouveau disque et que Luc Plamondon en sera le maître d'œuvre.

Quelques mois plus tôt, celle qui tient plus que jamais les guides de sa carrière a reçu une proposition cousue d'or de la part de Bill Gagnon. Celui-ci lui propose de produire son prochain disque et met à sa disposition son studio afin de réaliser le travail de préproduction. Ce musicien aguerri a fait partie de Vos Voisins, le groupe qui accompagne Yvon Deschamps. Il a travaillé avec Les Cyniques, Louise Forestier et Michel Conte. Grand ami de Michel Robidoux, ce bassiste est aussi un excellent producteur.

Renée Claude peut aussi compter sur la présence du solide compositeur Michel Robidoux. Fils de Fernand Robidoux et de la comédienne Jeanne Couët, ce musicien fait carrière depuis 1964. Il fut l'un des musiciens du *Vol rose du flamant* de Clémence DesRochers, considérée comme la première comédie musicale québécoise. Il a également pris part au mythique spectacle *L'Osstidcho* et au tout aussi mythique projet du disque *Jaune*, de Jean-Pierre Ferland. On lui doit notamment la musique du *Chat du café des artistes*.

« Je connaissais Robidoux par Lautrec, dit Plamondon. On avait fait ensemble un disque pour Donald, qui contenait la chanson *La marmotte*. Nous sommes partis en voyage, Robidoux, sa blonde de l'époque qui était Francine Chaloult, ainsi que René Homier-Roy. Renée est venue avec nous. C'était à Noël 1971. »

Dans les mois qui vont suivre, Bill Gagnon et Michel Robidoux réunissent un groupe de musiciens à la créativité débordante dans le studio que possède Gagnon à Ville-Émard et qui deviendra le repaire du futur collectif Ville Émard Blues Band. Mais pour l'heure, le lieu est, en cet été 1972, un extra-ordinaire laboratoire d'où jailliront les chansons du disque *Je reprends mon souffle*. « J'étais dans mes petits souliers, dit Luc Plamondon. Je réalisais pleinement que je succédais à Stéphane Venne, un auteur-compositeur que j'ai toujours admiré. »

Pour le projet de *Je reprends mon souffle*, que l'on souhaite innovateur, on recrute le guitariste Robert Stanley, le percussionniste Michel Séguin, le batteur Denis Farmer, ainsi que le pianiste et claviériste Leon Aronson. «Renée était pleinement consciente de la qualité des musiciens qui l'entouraient, dit Michel Robidoux. Elle se sentait bien.» Durant plusieurs semaines, dans le studio du 6559, rue Jogues, à Ville-Émard, où naîtra également *Fu Man Chu*, de Robert Charlebois, une joyeuse effervescence règne. La mayonnaise monte.

«Ça marchait à cent milles à l'heure», dit Bill Gagnon. Certains titres de *Je reprends mon souffle* naissent rapidement, car un travail de création avait été amorcé en vue d'un autre projet pour la comédienne Marcella Saint-Amant. Entendant le résultat, Renée Claude fait part de son envie de chanter ce matériel. «La pauvre Marcella... Elle a perdu ses chansons à ce moment-là», dit Michel Robidoux.

Sept gars et une seule fille... Comment la douce et timide Renée Claude s'accommode de cela? «Elle était comme notre sœur, dit Michel Robidoux. On la protégeait, on en prenait soin.» Est-ce à cause de cette ambiance que *Je reprends mon souffle* est le seul disque que Renée Claude aime à réentendre, elle qui déteste réécouter ses anciens enregistrements? Toujours est-il que l'aventure de ce disque demeure un magnifique souvenir pour tous ceux qui y ont pris part.

Renée Claude ne se contente pas d'être la chanteuse, elle s'implique dans chacune des étapes. Les musiciens découvrent la « méthode Renée Claude » : répéter, répéter, répéter. Pour ce qui est des textes, c'est l'affaire du parolier. « Je n'ai jamais discuté des textes avec Plamondon, dit Bill Gagnon. Ça se passait entre lui et Renée. Luc écrivait la plupart du temps sur place. » Michel Robidoux amène tous les jours le parolier au studio sur sa Kawasaki. Le jeune auteur assiste à la naissance des musiques. Cela l'inspire et l'incite à noircir ses petits cahiers.

Luc Plamondon apprécie l'attitude de Renée Claude. « Elle n'essaie pas de faire autre chose avec une chanson que ce que la chanson est, dit-il à l'émission *Avis de recherche*, en 1984. Elle apporte son *feeling* personnel, sa sensualité, sa voix qui est très chaleureuse. Elle travaille la chanson avec l'auteur et le compositeur. Il y a des interprètes qui tentent de faire autre chose avec la chanson qu'on leur offre alors qu'elle, au contraire, renvoie à l'auteur et au compositeur la vision qu'ils ont de leur œuvre. »

Les journées sont longues pour l'équipe. Pour les encourager, une voisine d'origine italienne leur apporte de la pizza qu'elle prépare elle-même. « On faisait peur à voir, mais on savait vivre, dit Michel Robidoux. En fait, je m'en rends compte aujourd'hui, on était très sérieux et on faisait preuve de beaucoup de rigueur. On refusait le "n'importe quoi". Et Renée appréciait ça. Plus on travaillait une chanson, plus elle était heureuse. »

Cette discipline n'empêche pas les musiciens de se rouler quelques joints pour favoriser les idées. Cet univers est loin de celui de Renée Claude. Après avoir troqué la robe noire contre la robe rouge, la jeune femme adopte maintenant le jeans et les sandales. L'aînée qui devait toujours donner le bon exemple a envie de vivre de nouvelles expériences. La fille sage prend le bord. À 33 ans, Renée Claude sent le besoin d'abandonner la rigidité dans laquelle elle se sent prisonnière.

Un jour, les musiciens la surprennent en train de se rouler un joint. «Ça ressemblait plus à une poche de thé qu'à autre chose, raconte Michel Robidoux. Elle ne savait pas du tout comment faire. Elle l'a allumé et ça a brûlé tout croche. On a tellement ri! On s'est tous payé sa tête.» À la fin de cette aventure, celle qui a toujours aimé faire des cadeaux à ceux qu'elle apprécie offre à chacun des musiciens une petite boîte indienne. «On a tous ouvert notre petite boîte, raconte Michel Robidoux. Renée y avait déposé un quart d'once de hasch. C'était toute une surprise!»

Le groupe se déplace ensuite au studio Manta Sound, à Toronto, dirigé par David Greene. L'homme est considéré à cette époque comme l'un des plus solides ingénieurs du son en Amérique du Nord. «Pour moi, il était le *top*, dit Bill Gagnon. Il a été une sorte de mentor. Il avait toutefois du mal à comprendre notre technique de travail. Elle était à la fois organique et organisée.» Bill Gagnon sera tellement marqué par cette expérience qu'il retournera dans ce studio pour le disque *Fu Man Chu*.

Pour le disque *Je reprends mon souffle*, qui a coûté 160 000 $, une somme colossale pour l'époque, Plamondon imagine un concept où des fragments d'une chanson (*La course contre la montre* pour la face A et *D'un amour à l'autre* pour la face B) servent d'intermèdes aux autres chansons. Le ton de ce disque rompt avec tout ce que Renée Claude a fait auparavant. Le son est électrique, aérien, libre. On multiplie les ruptures de rythmes et de sonorités. Quant aux thèmes abordés, ce sont ceux d'une femme qui a envie «d'ouvrir les fenêtres», de «pêcher dans la rivière» et de faire l'amour «84 fois» avec son amant. Dans la bouche de Renée Claude, la poésie de Plamondon détonne, étonne.

Même la pochette du disque tranche avec celles qui ont précédé. Sur la couverture, on ne voit pas le séduisant visage de la chanteuse. On le trouve à l'intérieur de l'album alors que Renée Claude, assise dans une chaise berçante, est entourée de ses six musiciens à l'allure *bum*. Plamondon, qui a coproduit le disque, est également sur la photo. Les jeans à pattes d'éléphant abondent sur la photo que Pierre Dury met en scène devant le 6559, rue Jogues.

La photo donne l'impression d'un groupe plutôt que d'une chanteuse en compagnie de ses musiciens. «C'est exactement ça, dit Michel Robidoux. On était carrément un groupe. Les idées venaient de partout. Grâce à Bill, on a eu du temps, on travaillait de 10 heures le matin jusqu'à tard le soir. Ça nous a soudés.»

Outre la pièce-titre, ce dixième album de Renée Claude contient *Cours pas trop fort, cours pas trop loin, Le bonheur, Tu m'as laissée tomber du 7ᵉ ciel* et *La bagomane*. Cette chanson, sans doute la plus emblématique du disque, fait référence à la passion que Renée Claude a toujours eue pour les bagues. Mais surtout, elle met de l'avant le talent de parolier de Plamondon. La façon dont il décrit la chambre de cette amante délaissée devenue un cimetière, puis un frigidaire, annonce ses couleurs. Même s'il a toujours dit qu'il n'écrivait pas pour Renée Claude comme il le faisait pour Diane Dufresne ou Monique Leyrac, le style Plamondon s'étale avec éclat dans cette chanson.

Sur ce disque, Renée Claude rend également hommage à Jean et Cécile, ses précieux parents, dans *Berceuse pour mon père et ma mère,* qui deviendra *Children* dans sa version anglophone lancée uniquement sur 45 tours. Si la chanson commence avec une infinie douceur, elle prend une autre tournure avec une montée très rock. Renée Claude chante son amour à ses parents, mais en même temps elle leur dit que leur fille a grandi et qu'elle ne ressemble plus à l'élève docile de l'école Cherrier.

Je reprends mon souffle est lancé le 18 septembre au studio de Bill Gagnon. Le public québécois et les journalistes le découvrent à quelques semaines d'intervalle de *Tiens-toé ben j'arrive*, de Diane Dufresne, dont tous les titres sont également signés Luc Plamondon. Avec le recul, on peut imaginer l'incroyable vertige qu'a connu le parolier en cet été 1972.

«En effet, ce fut une grosse année, dit-il. J'ai fait les disques de Renée, Diane, Monique Leyrac et Donald Lautrec.»

Renée Claude offre une série de spectacles au Théâtre Maisonneuve de la Place des Arts du 9 au 15 octobre. Elle fait appel à André Brassard pour la mise en scène. «J'étais la saveur du mois, dit-il. J'avais travaillé avec Donald Lautrec. Renée a pensé à moi. J'avoue que je travaillais beaucoup à cette époque. J'ai peu de souvenirs de ce *show*, mais je me souviens que j'avais mis une boule au plafond. Je ne savais pas quoi faire. On fait quoi avec une chanteuse une fois que tu as établi l'ordre des chansons ? Tu la fais monter sur un cube ?» Si cette expérience a peu marqué le metteur en scène, on peut en revanche dire qu'elle a eu l'avantage de lui faire goûter au bonheur de travailler avec cette interprète, un plaisir qu'il voudra de nouveau connaître plus tard.

Craignant sans doute de dérouter son public, Renée Claude rassemble dans la première partie de son spectacle ses grands succès, période Venne. Puis, en deuxième partie, elle présente les chansons de *Je reprends mon souffle*. Elle clôt le spectacle en interprétant une nouvelle chanson de Jean-Pierre Ferland, *Un peu plus loin*. Si cette chanson a connu la consécration un certain soir de 1975 grâce à Ginette Reno, il faut savoir qu'elle était déjà interprétée en spectacle depuis le début des années 1970 par Renée Claude. Nous y reviendrons...

Dans *La Presse* du 13 octobre, René Homier-Roy souligne que le public réagit merveilleusement bien aux nouvelles chansons: «À la regarder, à l'écouter et aussi à la sentir plus ronde, moins crispée et moins inquiète, j'ai eu hier soir l'impression que c'est à partir de maintenant que la chimie de la vie permettra à Renée Claude de se réaliser pleinement.» Renée Claude et les musiciens du Ville Émard Blues Band partent ensuite en tournée à travers le Canada.

Même si le disque *Je reprends mon souffle* contient d'excellentes chansons et que les critiques sont très positives, il a un mal fou à se frayer un chemin vers les radios et le public. Malgré le succès de *Cours pas trop fort, cours pas trop loin*, qui est au sommet des palmarès dès décembre, le disque ne remporte pas le succès escompté. Le public ne retrouve pas la Renée Claude des années Venne. Il est déstabilisé.

La chanteuse l'est aussi. Longtemps, elle tentera de comprendre ce qui se passe dans la tête du public quand un artiste décide, comme tout le monde, de changer et d'évoluer. «En a-t-on voulu à Yves Montand de chanter aussi bien Prévert qu'une petite chanson sur Paris, jolie mais anodine? confie-t-elle à André Ducharme dans *L'actualité*, en 1994. Est-ce que le fait d'aimer le caviar empêche de manger un ragoût de boulettes fait dans les règles? Est-ce qu'on ne peut pas, après un voyage culturel dans les musées d'Italie, avoir envie d'aller "niaiser" sur une plage du Mexique? Je n'aime pas les carcans. Quand j'ai décidé, un jour, de couper mes cheveux que je ne supportais plus longs, les gens m'ont dit: "Ah, ce n'est pas vous, ça ! " Mais qu'en savaient-ils ? »

Je reprends mon souffle est aujourd'hui considéré comme l'un des meilleurs disques québécois du début des années 1970 avec *Jaune*, de Jean-Pierre Ferland, *Fu Man Chu*, de Robert Charlebois, et *Tiens-toé ben j'arrive*, de Diane Dufresne. Malheureusement, le public de cette époque n'a pas vu cela. Il voulait la Renée Claude de son imaginaire, de ses rêves. Et de ses bonnes vieilles habitudes.

« Il faut aussi dire que *Tiens-toé ben j'arrive* a écrasé *Je reprends mon souffle*, dit Luc Plamondon. S'ils n'étaient pas sortis presque en même temps, sans doute que le projet avec Renée aurait trouvé son chemin. »

Les admirateurs n'ont pas reconnu la Renée Claude qu'ils chérissaient depuis quelques années. Ils ont cru qu'elle s'était égarée. Mais comme le dit si bien la chanteuse : « Qu'en savaient-ils ? »

Je suis une femme

À L'ÉTÉ 1973, RENÉE CLAUDE RETROUVE AVEC BONHEUR « SES gars » pour un nouveau projet de disque. Michel Robidoux et Bill Gagnon ne l'accompagnent plus sur scène depuis plusieurs mois, mais répondent présents pour des retrouvailles en studio. Les deux musiciens ont été remarqués et recrutés illico par Robert Charlebois. « Renée et Robert ont partagé un soir la scène au Grand Théâtre de Québec, raconte Bill Gagnon. On accompagnait Renée, et son spectacle a été très applaudi. Tout le contraire de Robert qui a été hué. Il a décidé ce soir-là de venir nous chercher. Ça a été tragique pour Renée. Mais on a continué de travailler avec elle sur ses nouvelles chansons. »

La préparation de ce nouveau disque a lieu, comme le précédent, au studio de Bill Gagnon. L'équipe termine ensuite le projet au Studio Son-Québec. On nomme ce microsillon *Ce soir je fais l'amour avec toi,* se doutant que la chanson qui porte ce titre sera un grand succès. « Là, on a pris notre revanche, dit Luc Plamondon. On savait qu'on avait une bombe entre les mains. »

Dans le documentaire *Un cœur apaisé*, elle raconte que son agent de l'époque, Pierre David, lui a dit en découvrant la maquette de la chanson-phare : « Renée, tu ne peux pas chanter ça ! Ça n'a pas de bon sens ! Tu dis "Ce soir je fais l'amour avec toi" 12 fois ! Tu ne fais que dire ça ! »

Alors que le combat des femmes est loin d'être gagné partout sur la planète, entendre une Québécoise dire qu'elle se réjouit de faire l'amour avec son amant, qu'elle a tout prévu, y compris de mettre le chat chez le voisin d'en haut et de porter une robe démodée qu'il pourra lui déchirer, a quelque chose d'étonnant. Renée Claude aime jouer ce rôle d'amante passionnée. Elle est cette amante.

Pour beaucoup de Québécois de cette époque, Renée Claude est un énorme symbole sexuel. Belle et séduisante, elle est un véritable fantasme pour ces mâles. « Il y avait toujours beaucoup d'hommes dans sa loge après ses spectacles, raconte son ami André Ducharme. Certains voulaient l'inviter au restaurant pour se retrouver seuls avec elle. D'autres lui glissaient des mots doux avec leur numéro de téléphone ou lui proposaient des massages et quoi encore. Il fallait parfois la sortir du pétrin. »

Contrairement à d'autres vedettes québécoises qui ont fait carrière dans les années 1970, Renée Claude a, en plus d'avoir un immense *sex-appeal*, une grâce rare. « Cette femme est née belle, avec une élégance naturelle, dit André Gagnon lors de la Soirée Hommage Québecor. Elle a une beauté translucide qui permet de voir son âme. Et cette âme est belle.»

En réalité, Renée Claude rassemble tous les critères de la beauté, ceux qui sont en surface et ceux qui se trouvent à l'intérieur. Mais la principale intéressée ne voit pas les choses ainsi. «On a créé cette soi-disant image de beauté que je trouve exagérée, dit-elle. C'est vrai que je ne suis pas un monstre. Il y a des soirs, quand j'ai beaucoup travaillé pour arriver à un certain résultat, je me dis que je suis pas mal. Mais je suis loin de me trouver aussi belle que certains ont l'air de penser que je suis.»

André Ducharme confirme: «Je l'ai déjà entendue dire: "Je ne suis pas belle, je suis jolie."» En effet, Renée Claude prend soin de son corps, s'astreignant à d'inlassables régimes et jeûnes, apportant un soin particulier à sa peau et à ses cheveux. Les jours de spectacle, plusieurs heures sont consacrées à cela.

Cette beauté qu'elle ne voit pas chez elle lui permet quand même de s'adonner à des jeux de séduction avec certains hommes. Renée Claude aime vivre des histoires d'amour, et elle aime les vivre intensément. Pour elle, la demi-mesure n'a pas sa place. «Quand elle est amoureuse, il n'y a plus grand-chose d'autre qui compte», dit André Ducharme. Cet état d'âme que procure l'amour, surtout lors de son envol, elle le recherche constamment.

« Je dis souvent qu'en temps normal j'ai cinq ans. Mais en amour, j'ai trois ans et demi. Je n'ai aucune maturité dans ce domaine. » Renée Claude aime et recherche cet effet tonique de l'amour. En revanche, elle redoute l'effet de la chute. Au fil du temps, après quelques déceptions, elle a trouvé une façon de se protéger. « Dès que je sens que la température se met à descendre, je romps », dit-elle.

C'est cette femme en quête d'absolu et de passion qui se lance dans la production de *Ce soir je fais l'amour avec toi* en 1973. Durant cette période, elle connaît une aventure avec un musicien de son entourage. À son ami Luc Plamondon, elle raconte qu'elle est tellement éprise de cet homme qu'elle se lève avant lui pour lui faire son jus d'orange et que, pour mieux le séduire, elle a appris à faire le gâteau des anges.

Ces détails n'échappent pas à l'auteur qui les inclut dans la chanson *Un gars comme toi*, l'autre méga succès de ce disque. « Renée a confirmé que je pouvais faire des chansons populaires tout comme le faisait Stéphane Venne », reconnaîtra Luc Plamondon lorsqu'il sera interviewé en 2017 par *Le Nouvelliste*.

Sur cet album, qui reprend l'idée des chansons intermèdes du disque précédent, on trouve également *Antipodes*. Au moment de sa création, l'interprète aime à dire que c'est la chanson qui la décrit le mieux. En effet, Renée Claude se reconnaît totalement dans cette femme qui dit « qu'elle n'est pas encore allée au bout d'elle-même ».

Dans les mois qui précèdent la préparation de ce nouveau disque, une histoire troublante survient à Montréal. L'immolation d'Huguette Gaulin, une jeune poétesse de 27 ans, mère d'un garçon de 7 ans, crée une onde de choc dans le milieu des artistes. Originaire de Montréal, l'auteure s'est fait connaître grâce à quelques recueils de poèmes, dont *Lecture en vélocipède*. Elle est aussi connue pour son obstination à vouloir promouvoir, des décennies avant que cette préoccupation soit répandue, la protection de l'environnement.

Le matin du 4 juin 1972, la jeune femme se rend sur la place Jacques-Cartier munie d'un bidon d'essence. Avant de quitter son appartement, elle rédige une lettre à l'intention d'un ami : «Je pars, il n'est pas 11 heures [...] Un matin, on enfile sa jupe, on sourit, on n'a plus envie de rien.» Rendue dans un stationnement qui donne sur le Château Ramezay, elle verse le contenu du bidon sur son corps menu, puis, avant de s'embraser, crie très fort : «Vous avez détruit la beauté du monde!»

Ce dimanche de printemps, alors que le Vieux-Montréal est enveloppé de brume, un spectacle horrifiant s'offre aux quelques personnes assises près des arbres. Le corps d'une femme que l'espoir a déserté flambe sous leurs yeux. Un policier, installé à une terrasse, intervient et tente d'étouffer les flammes. Mais c'est trop tard. Huguette Gaulin mourra de ses blessures deux jours plus tard. «Elle a explosé comme un terroriste, a confié son fils, François Bergeron, à Monique Giroux, dans le balado *Bien plus qu'une chanson*. Elle ne voyait plus d'issue, elle ne voyait pas d'avenir possible. »

Luc Plamondon et Renée Claude sont bouleversés par ce drame. Ils s'en parlent souvent. Ils tentent de comprendre ce qui se cache derrière ce geste malheureux. Avec le compositeur Christian Saint-Roch, Luc Plamondon est en train d'écrire *Le monde est fou*. La mort d'Huguette Gaulin transforme la chanson et en fait l'une des plus marquantes de son œuvre. Et aussi l'une des plus grandes interprétations de Renée Claude.

Alors que les chansons-fleuves, bravant les lois de la radio, commencent à être en vogue, cette pièce de 7 minutes 20 secondes marque l'histoire de la musique au Québec. Elle occupera pour toujours une place de choix dans le cœur de son interprète et de ses musiciens. « En spectacle, c'était quelque chose à faire, se souvient Michel Robidoux. En tournée, on s'est retrouvés à quatre musiciens : Marcel Rousseau, Denis Farmer, Bill Gagnon et moi. Il fallait tout recréer. On ne tentait pas de reprendre les sonorités du disque, mais l'énergie de la chanson. »

Le monde est fou est un triptyque. Sa dernière partie est devenue, lorsque Diane Dufresne l'a reprise en 1979 sur son disque *Strip Tease*, un hymne dénonçant les atrocités que les humains font subir à la planète. Depuis, *Hymne à la beauté du monde* a été repris par plusieurs interprètes (Isabelle Boulay, Éric Lapointe, Garou). À l'occasion de la parution de la compilation *Entre la terre et le soleil*, en 2006, Renée Claude est revenue sur cette chanson en compagnie de Marie-Christine Blais, alors journaliste à *La Presse*. « Quand on me demande de faire *Hymne à la beauté du monde*, je réponds que je regrette, moi, je chante *Le monde est fou* », dit celle qui a créé cette chanson.

Au milieu des années 1970, Renée Claude est une vedette fort appréciée du public. Près de 15 ans après ses débuts dans les boîtes à chansons, elle continue d'envoûter ses admirateurs avec des disques et des spectacles bien conçus. Son gérant de l'époque, Pierre David, reconnaît qu'on a trop souvent sous-estimé le rôle que Renée Claude a joué dans les choix artistiques de sa carrière.

« On travaillait bien, car j'étais responsable du *booking* des spectacles et des contrats, mais pour le reste c'est Renée qui tenait les guides, dit-il. Les choix artistiques, c'était son rayon. Je ne me mêlais pas de cela. Elle me faisait part de ses intentions et je lui faisais confiance. C'est elle qui dirigeait sa carrière. L'industrie du spectacle était bien différente à cette époque. »

En mars 1974, Renée Claude « casse » ses nouvelles chansons lors d'une série de spectacles au Patriote. Les critiques, particulièrement celle de *La Presse*, ne sont pas tendres. On lui reproche mille et une choses, y compris sa nouvelle coupe afro. Elle profite de son été pour travailler à un nouveau spectacle prévu en octobre au Théâtre Maisonneuve de la Place des Arts. Pour faire oublier le mauvais moment du Patriote, elle appelle en renfort sa bonne amie Mouffe.

Celle qui a inventé le métier de metteur en scène dans le monde de la musique lui écrit d'abord une magnifique chanson qui donnera le ton et le thème du spectacle. *Je suis une femme,* mise en musique par André Gagnon, ancre une fois de plus la chanteuse dans son époque. En pleine montée du mouvement féministe, alors que les droits des femmes en matière d'agressions sexuelles et d'avortement font de petits gains, les deux femmes imaginent un spectacle où les messages empruntent diverses voies, dont celle de la séduction.

Pour la série de spectacles qui a lieu du 24 au 27 octobre, elle apparaît sur scène dans une tenue vaporeuse en satin rose pâle plus proche de la nuisette que de la robe. Cheveux bouclés, plus belle que jamais, la chanteuse est en grande forme. Ce spectacle est celui d'une femme affranchie et libérée qui ne rejette pas les hommes. Pour certaines féministes radicales de l'époque, le jeu de séduction dont elle use peut paraître agaçant. Renée Claude s'en fout. À l'instar des jeunes femmes d'aujourd'hui, le féminisme de Renée Claude est celui qui dit que les femmes sont d'abord maîtresses de leur corps.

Dans le programme, Mouffe trace ce charmant portrait de son amie: «Une femme avec tout ce que ça sous-entend de charme, de sensualité, de coquetterie, de subtilité, de sensibilité, d'audace et de timidité, toutes ces cordes que, malheureusement pour elles, certaines femmes qui se veulent libérées oublient souvent d'ajouter à leur arc.»

Produit par Guy Latraverse, ce spectacle à grand déploiement réunit sur scène Daniel Hétu (claviers), Jean-Guy Chapados (basse), Michel Lefrançois (guitare), Libert Subirana (flûte et saxophone), Michel Fauteux (batterie), ainsi que les choristes Judy Richards, Sharon Lee et Mary Lou Gauthier. Pour chacune des chansons du programme qui comprend certaines des deux derniers disques, quelques-unes de Stéphane Venne et d'autres qui donnent un avant-goût de l'album à venir, Mouffe imagine des tableaux dans lesquels la chanteuse évolue avec beaucoup d'aisance.

Une chaise ovale en osier descend du plafond quand elle chante *Le ciel du sud*, une chanson country d'Yvan Ouellet qui avait d'abord été offerte à Willie Lamothe et que Renée Claude s'approprie avec bonheur. Elle interprète également la ravissante *Si tu viens dans mon pays* que Luc Plamondon et Christian Saint-Roch lui font et qu'elle grave sur 45 tours. « J'ai toujours eu un faible pour cette chanson », dit Plamondon.

Il y a aussi un piano à queue blanc qui rappelle celui qu'elle a chez elle. Et puis, cette table à maquillage avec un miroir entouré de lumières. « On n'avait pas beaucoup de moyens, se souvient Mouffe. Luc [Plamondon] l'a payé de sa poche. Il avait déjà ce côté mécène et généreux. »

Tout juste avant de préparer ce spectacle, Mouffe travaille au scénario du film *Bulldozer* réalisé par Pierre Harel. Elle parle à Renée Claude de la chanson *Faut que j'me pousse*, composée par ce dernier et Gerry Boulet, qui est sur le disque *Offenbach*

Soap Opera. Ce choix surprenant s'avérera finalement judicieux. « Elle n'était pas sûre de cette idée, mais j'ai insisté, dit Mouffe. Je me disais que cette peine d'amour décrite par un homme deviendrait quelque chose de très intéressant une fois chantée par une femme. »

Renée Claude interprète également *Qu'est-ce que ça peut ben faire*, de Jean-Pierre Ferland, l'un des plus beaux choix de sa carrière. On peut imaginer ce que cela vient remuer en elle quand elle dit : « Mais qu'est-ce que ça peut ben faire si j'veux pas vivre la vie d'ma mère ? » Cette femme qu'elle a aimée par-dessus tout, qui lui a indiqué le chemin du spectacle et de la musique, n'a pas vécu la vie d'artiste que sa fille connaît.

La préparation de ce spectacle est un baume pour Renée Claude, presque une thérapie. « Elle avait vécu une grosse peine d'amour, mais elle en était sortie grandie, dit Mouffe. On sentait qu'elle prenait sa vie en main. Il n'y a pas de doute, c'est elle qui *callait* les *shots* ! Elle était rendue là. » Malheureusement, les salles ne sont pas remplies à pleine capacité. Cela déçoit l'artiste.

Elle part ensuite présenter le spectacle dans le cadre d'une longue tournée qui la mène à Sherbrooke, Sept-Îles, Rimouski, Rivière-du-Loup, Hull, Victoriaville, Belœil, Sorel et dans plusieurs autres villes. Le spectacle est enregistré par Kébec-Films, vendu en France et au Mexique, il est diffusé au Canada anglais et au Québec.

Après avoir été d'abord offertes sur scène à son public, les chansons de *Je suis une femme* sont gravées sur un disque qui s'ouvre avec la charmante *Rêver en couleur* que Mouffe et Robert Charlebois composent spécialement pour Renée Claude. Dans cette chanson, un brin jazzy, Renée Claude énumère les désirs fous d'une femme qui veut « faire un grand feu avec sa peur » et « avoir des douzaines d'enfants... un de chaque amant ».

Renée Claude pige une fois de plus dans le répertoire de Charlebois et s'empare du *Mur du son*. Peu habitué à l'exubérance de la part de la chanteuse, le public découvre la force et la puissance vocale dont elle peut également faire montre. À l'opposé, il y a la chanson-titre, *Je suis une femme,* dans laquelle Mouffe fait dire avec une infinie douceur à Renée Claude : « Ne me brusquez pas/Je suis une harpe/Je porte déjà mon cœur en écharpe. »

La musique de cette chanson sera plus tard reprise par son compositeur, André Gagnon, sur son disque *Neiges*. Lorsqu'il l'enregistrera en version instrumentale, le pianiste demandera à son amie de prêter sa voix sur cette pièce qui deviendra pour lui *Chanson pour Renée Claude*. Fait cocasse, au moment où Mouffe et Gagnon créent la chanson *Je suis une femme*, Luc Plamondon en écrit une autre qu'il couronne du titre de *Je suis une femme d'aujourd'hui*. Elle se retrouve également sur le disque.

L'enregistrement de cet album fait l'objet d'un changement de garde chez les musiciens. En effet, très en demande, ceux qui étaient sur les deux disques précédents sont remplacés par de nouveaux. Renée Claude installe autour d'elle Daniel Hétu, Germain Gauthier, Pierre Leduc, John Lissauer, Bob Rose, Cliff Morris, John Miller et Barry Lazarowitz. Le disque est lancé au printemps 1975, en pleine Année internationale de la femme. La chanson *Ça commence comme ça les histoires d'amour* obtient la faveur des radios. La très énergique *C'est l'amour qui mène le monde* prend le relais quelques semaines plus tard.

Au Québec, l'année 1975 est celle qui voit la montée foudroyante du Parti québécois alors que se préparent des élections. Lise Payette est nommée présidente du Comité des fêtes nationales du Québec. Elle voit grand et organise pas moins de cinq jours de festivités financées en partie par une loterie nommée La Québécoise. Du 20 au 24 juin, cinq grands spectacles sont présentés au pied du mont Royal. On estime à plus d'un million le nombre de personnes qui défilent aux abords de la montagne au cours de ce long week-end.

Le premier soir rassemble Gilles Vigneault, Louise Forestier et Yvon Deschamps. C'est lors de ce spectacle qu'est créé le fameux *Gens du pays*, de Vigneault. Le samedi 21, on donne la place à la relève musicale québécoise représentée à ce moment-là par Aut'Chose, Harmonium, Les Séguin et Gilles Valiquette. Pour ce qui est du dimanche soir, c'est André Gagnon et ses musiciens qui prennent les commandes.

Féministe de la première heure, Lise Payette tient évidemment à souligner l'Année internationale de la femme et décide de faire de la journée du 23 juin celle des femmes. En compagnie de Mouffe, la monologuiste Jacqueline Barrette imagine le spectacle *Ça s'pourrait-tu?* Une impressionnante brochette de femmes provenant de divers horizons viennent dire, chacune à sa façon, les douleurs, les joies et les aspirations des Québécoises. Pour une rare fois sont réunies sur une même scène Pauline Julien, Rose Ouellette, Louise Forestier, Denise Pelletier, Juliette Pétrie, Dominique Michel, Louisette Dussault, Luce Guilbeault, Muriel Millard, Monique Mercure, Suzanne Garceau et, bien sûr, Renée Claude.

Les numéros sont aussi variés que surprenants. On peut compter sur La Poune et sur Juliette Pétrie pour rappeler les beaux jours du burlesque. Pauline Julien offre *Ce soir j'ai l'âme à la tendresse*, une chanson créée par elle et François Dompierre. Monique Mercure et Denise Pelletier plongent dans les mots durs et puissants de Michel Tremblay, la première en reprenant le monologue du « maudit cul » tiré des *Belles-Sœurs*, la seconde en interprétant un extrait de *Bonjour, là, bonjour*. Quant à Renée Claude, elle offre, avec son amie Louise Forestier, *L'amante et l'épouse* que Clémence DesRochers a enregistrée quelques mois plus tôt avec Marie Michèle Desrosiers sur son disque *Comme un miroir*.

« Cette expérience a été absolument fabuleuse, dit Mouffe. Imaginez toutes ces femmes ensemble. C'était incroyable. » Le souhait de Lise Payette est exaucé. Une foule importante

évaluée à plus de 200 000 personnes et composée essentiellement de femmes occupe le parterre. « Y avait de la femme là »,
se souvient Mouffe. Les hommes présents en prennent pour
leur rhume.

Dans son compte rendu de l'événement publié dans *La
Presse*, le lendemain du spectacle, Louis Aubin raconte qu'une
spectatrice « bien en chair » (tient-il à préciser) a déclaré que
le prochain homme qui lui marcherait sur les pieds allait être
déshabillé sur-le-champ. « Lorsqu'un spectateur, tentant de
se frayer un chemin dans la foule dense, lui écrasa un orteil,
plusieurs femmes se ruèrent sur lui pour lui enlever sa chemise,
sa ceinture, ses sandales et ses lunettes. » Après s'être débattu,
« le pauvre diable » s'enfuit à toutes jambes « à demi-nu écra-
sant 100 000 orteils dans sa fuite », raconte le journaliste.

Le 24 juin, on présente le spectacle *Que sont devenues les
femmes*, titre inspiré de la chanson *Qu'êtes-vous devenues*, de
Jean-Pierre Ferland, hôte de ce spectacle. Le chanteur célèbre
ce soir-là ses 41 ans. En plus de Renée Claude, qui monte sur
la grande scène pour une deuxième fois en autant de jours,
l'événement réunit Ginette Reno, France Castel, Andrée
Boucher, Christine Chartrand, Lucille Dumont, Emmanuëlle,
Ghislaine Paradis, Véronique Béliveau et Shirley Théroux.

C'est lors de ce spectacle que Ginette Reno fait entrer dans
la légende la chanson *Un peu plus loin* grâce à une interprétation hors du commun. Il faut toutefois savoir que c'est Renée
Claude qui avait d'abord été pressentie pour l'interpréter.

Comme elle l'offrait déjà en spectacle depuis trois ans, le metteur en scène lui a machinalement attribué la chanson lors de la préparation du spectacle. Les choses ne se passeront pas comme elles avaient été prévues.

« Ginette [Reno] avait accepté de participer au spectacle à condition d'interpréter cette chanson, raconte Jean-Pierre Ferland. Mais le réalisateur avait décidé de la confier à Renée qui la connaissait déjà. Quand Ginette a découvert ça, elle a fait savoir haut et fort qu'elle voulait cette chanson. » À dire vrai, cette dernière a menacé de quitter le navire si on ne lui donnait pas la pièce.

Cette version a été confirmée par Ginette Reno elle-même qui, lors d'une entrevue avec le journaliste Louis-Philippe Ouimet de Radio-Canada, en juin 2018, a raconté cet épisode. « J'ai mis un genou à terre, j'ai pleuré un petit peu... J'ai dit qu'il fallait que ça soit moi qui chante cette chanson-là. »

Lors des répétitions, une tension s'installe à cause de cette demande. Pour calmer le jeu, Renée Claude fait alors un geste à la hauteur de sa légendaire gentillesse et grandeur d'âme. Elle va vers Ginette Reno et lui dit : « Ginette, cette chanson est pour toi ! Fais-la ! » Plus de 40 ans plus tard, le souvenir de cet instant émeut Ginette Reno. « Renée a été très gentille de faire cela. »

Rapporté aujourd'hui, ce geste ne surprend pas les amis de Renée Claude. « Ça démontre bien la grande générosité de Renée, dit Jean-Pierre Ferland. C'est une femme bonne à tous les égards. » Mouffe n'est pas non plus étonnée d'entendre cela. « C'est tout de même incroyable, ce qu'elle a fait. Pour une chanteuse, donner une grande chanson à une autre est quelque chose d'énorme. Elle est comme ça, Renée. Elle n'a pas mené sa carrière comme une guerrière, comme certaines autres l'ont fait. Son extrême gentillesse lui a parfois nui. Certaines personnes en ont profité pour lui marcher dessus, je peux vous le dire. »

Le 24 juin 1975, depuis les coulisses, Renée Claude assiste à la consécration de Ginette Reno grâce à cette chanson. Elle a vu et entendu la foule ovationner à tout rompre la chanteuse en larmes. « Personne ne voulait passer après Ginette Reno, se souvient Véronique Béliveau. Mais comme j'étais la plus jeune, c'est moi qui ai dû suivre sa performance. Je chantais *Le petit roi* et les gens scandaient "Ginette! Ginette! Ginette!" C'était très dur. »

La chose fut également très douloureuse pour Renée Claude. Mais elle avait compris que cette chanson trouverait son chemin grâce à Ginette Reno. Elle l'a reconnu et a agi avec noblesse. Il s'agit là de la plus belle marque d'amour qu'une interprète puisse faire à la musique.

L'éphémère succès

Au printemps 1976, la planète a soif de connaître Montréal. Quelle est cette ville qui va accueillir les nations dans quelques mois pour les Jeux olympiques ? Des reportages et des émissions sont tournés. C'est dans ce cadre que Renée Claude se rend à Paris afin de participer à un grand plateau de télévision consacré aux chanteurs québécois. À ses côtés se trouve Gilles Vigneault. Elle y chante *Rêver en couleur*.

Elle retournera en Europe quelques semaines plus tard, mais cette fois en direction de la Belgique. Invitée au Festival de Spa, elle assure la première partie de la sémillante Annie Cordy, le 26 juin. On est en droit de se demander qui a eu la curieuse idée de réunir sur une même scène l'interprète survitaminée de *La bonne du curé* et Renée Claude.

Pendant ce temps, au Québec, des milliers d'ouvriers s'affairent à compléter les installations olympiques qui ne sont pas prêtes. L'énorme retard qui est accusé sur chacun des chantiers fait gonfler la facture de façon exponentielle. Le juge Albert Malouf démêlera tout cela avec beaucoup de doigté plus tard pour le plus vif désagrément du maire Jean Drapeau.

Mais pour l'heure, on met les bouchées doubles afin d'en mettre plein la vue au reste du monde.

Les téléspectateurs québécois découvrent les talents de comédienne de Renée Claude alors que Normand Gélinas lui confie un rôle dans le téléroman *Avec le temps*. Elle y joue le rôle d'une mère un peu neurasthénique qui désire mener une carrière de chanteuse. De tous les rôles dans lesquels on peut imaginer Renée Claude, celui de la mère peut paraître surprenant. Pourtant, le désir d'avoir un enfant a toujours été présent chez elle. Elle dira souvent que de ne pas en avoir eu est le plus grand regret de sa vie.

«Au début de la vingtaine, je n'étais pas pressée, dit-elle. Mais, me rapprochant de la trentaine, j'en voulais absolument un. J'attendais toutefois l'homme idéal pour ça. Ce moment n'est jamais venu.» Ce moment se présente dans les années 1970 alors que Renée Claude connaît une grande histoire d'amour avec un chanteur américain. «Renée a beaucoup aimé cet homme, dit André Ducharme. Avec lui, elle aurait pu vouloir avoir un enfant.»

Renée Claude fut enceinte une fois dans sa vie. «C'était une histoire sans importance, dit-elle. Il était hors de question que je porte un enfant de cet homme.» Elle décide alors de ne pas mener à terme cette grossesse. Au moment où elle fait ce geste, au début des années 1960, des journaux québécois publient des reportages sur la situation des filles-mères au

Québec. On y apprend qu'il y a environ « 3000 naissances illégitimes » par année à Montréal.

On y décrit aussi « l'angoisse terrible » que vivent les femmes forcées de vivre une grossesse cachée qui a souvent comme seule issue l'abandon du poupon à l'orphelinat. Alors que l'avortement n'est pas légal et est difficile à obtenir, Renée Claude prend cette décision. Une fois de plus, elle démontrera qu'elle est l'unique maîtresse de son destin.

De nombreuses années après cet événement, alors qu'elle et son amoureux Robert Langevin habitent sur l'avenue Lajoie, à Outremont, Renée Claude fait part de son désir de prendre sous son aile le fils d'un ami qui ne bénéficie pas des soins qu'un enfant de son âge devrait avoir. Délaissé par son père alcoolique et sa mère qui souffrait d'une maladie mentale, le garçon de 12 ans est sur le point d'être pris en charge par l'État. Renée Claude est bouleversée par le sort du jeune adolescent et veut à tout prix lui venir en aide.

« Le garçon faisait un peu d'argent grâce à des publicités, raconte Robert Langevin. C'est lui qui faisait vivre sa mère. Renée était complètement chavirée par cela. Elle m'a demandé si j'acceptais qu'on le prenne. » Cette aventure, qui dure environ trois ans, prend brutalement fin. « Les choses ont été plus compliquées qu'on ne l'imaginait, dit Robert Langevin. Nous avons dû nous séparer du garçon. Ce fut très douloureux pour Renée. Elle l'aimait beaucoup. »

Alors que les derniers athlètes des Jeux olympiques quittent Montréal pour rentrer dans leur pays, Renée Claude entre en studio pour enregistrer *L'enamour Le désamour*, son douzième album. Celle qui a chanté l'amour comme nulle autre au Québec pousse les choses plus loin en faisant un disque entièrement consacré aux états extrêmes du sentiment amoureux : l'effet extatique de la rencontre et l'extrême douleur de la séparation.

De plus en plus sollicité par d'autres interprètes (Pauline Julien, Ginette Reno, Chantal Pary, Nicole Martin, Julie Arel, etc.), Luc Plamondon ne signe que trois titres dont *Je recommence à vivre*, sur une musique de Christian Saint-Roch. Cette chanson atteint un sommet au rayon de la « chanson de peine d'amour » : « Tu vois/Je recommence à vivre mon amour/ Déjà/J'ai remis des nuits autour de mes jours/Parfois/Je reprends plaisir à faire l'amour. »

Plamondon met aussi des paroles sur *Nelligan*, une musique composée par André Gagnon et que celui-ci a gravée un an plus tôt sur son disque *Saga*. Le poète qui a jadis erré près du square Saint-Louis réunit les trois amis autour d'une chanson aussi grave que belle. Finalement, le parolier signe, avec François Cousineau, *L'inventaire*, une chanson où une femme dit à son amoureux qu'un jour viendra le temps de « prendre un dernier verre ensemble ».

Les autres titres sont écrits et composés par une pléiade de noms. Jean Fugère lui compose *L'enamour*, Mouffe et Yves Lapierre lui font *Le désamour*, Jacqueline Barrette et François

Dompierre signent *La dernière fois*, Pierre Harel, dont elle avait chanté *Faut que j'me pousse* sur son disque précédent, lui offre *Mesdames et messieurs*. Elle choisit également la très suave *Après un rêve*, de Gabriel Fauré et Romain Bussine que Barbra Streisand vient d'enregistrer. Et, pour rappeler que le sentiment amoureux n'est pas fait que de souffrances, elle interprète *Parlez-moi d'amour*, de Jean Lenoir.

Le grand succès de ce disque demeure toutefois *L'amante et l'épouse*, une chanson de Clémence DesRochers et François Cousineau qui a vu le jour dans la revue *Les Girls* en 1969. «Cette chanson est une idée de Louise Latraverse, raconte son auteure. Elle m'avait parlé de ce dialogue qui pourrait exister entre l'épouse et la maîtresse d'un homme. J'ai fait le texte. Louise Latraverse et Chantal Renaud ont créé cette chanson sur scène.»

André Montmorency agit comme conseiller artistique du disque. Sur la pochette, Renée Claude apparaît dans un petit miroir ovale, ce qui permet à certains de qualifier la pochette de cet album de «Laura Secord». Une série de spectacles est programmée à l'Évêché de l'hôtel Nelson, puis à la Boîte à chansons de l'hôtel Méridien, à Montréal, en octobre et décembre. André Montmorency signe la mise en scène. «Il était venu voir le spectacle *Je suis une femme*, raconte Mouffe. Et là, les baguettes dans les airs, il m'avait dit: "Moi, je ferais le contraire de ça." Je lui ai dit: "Ben, fais-le."» Il imagine donc un cadre intimiste en compagnie de deux musiciens.

Après les équipes imposantes des dernières années, Renée Claude adopte cette formule dépouillée. «Quand je partais en tournée à travers le Québec, il fallait tellement de matériel technique pour les instruments électriques qu'on devait utiliser d'énormes camions. On se serait cru dans une tournée de Frank Zappa», dit-elle au *Devoir* avant de créer ce spectacle. Pour ce nouveau projet, elle va vers deux musiciens solides et fiables: Michel Robidoux et Michel Lefrançois.

Dans *Le Devoir* du 17 décembre 1976, Nathalie Petrowski évoque son malaise à voir Renée Claude afficher un look censé faire oublier la chanteuse sophistiquée qu'elle a été. «Il faudrait préciser que les jeans en question étaient bien repassés, qu'ils sont accompagnés d'une blouse vaporeuse et élégante à souhait et d'une paire de souliers qui donnent davantage dans le Gucci que dans l'Adidas», écrit la critique.

L'année 1977 est composée de participations sporadiques à des événements ou à des émissions de télévision, comme *Dimanshowsoir* qui donne carte blanche à un artiste. Elle fait partie, avec Louise Forestier, Denise Filiatrault, Marie Bernard et Marcel Saint-Germain, de l'édition consacrée à son ami François Dompierre. Renée Claude y chante *Reste à dormir* avec 22 musiciens dirigés par Dompierre. Le 1er juillet, elle participe aux célébrations de la fête du Canada, sur la Colline du Parlement. Il y a aussi l'enregistrement de *Vedettes en direct*, pour Radio-Canada.

Le temps des grandes tournées s'estompe. Celui où on la presse de faire un disque aussi. C'est à ce moment que Stéphane Venne rebondit dans la vie de Renée Claude avec la proposition de faire de nouvelles chansons. Est-ce les effets de la nostalgie ? L'envie de retrouver le plaisir déjà connu ? Toujours est-il que les deux anciens amis plongent, chacun pour des raisons différentes, dans la création d'un nouveau disque. À cette époque, le disco fait des ravages. Les radios n'en ont que pour les artistes qui aiment faire reluire leurs paillettes sous les boules en miroir. Les synthétiseurs remplacent tous les instruments. Dans ce contexte, comment prendre sa place quand on a 40 ans ?

Ce nouveau disque, qui a pour titre *Bonjour*, sort au printemps 1979. Il permet à Renée Claude d'occuper de nouveau les palmarès avec *Le bonheur*. Malgré le succès que remporte l'album, Renée Claude demeure dubitative par rapport à ce projet. Des années plus tard, elle portera un regard dur et franc sur ce disque. « Je l'ai fait parce qu'il [Stéphane Venne] me l'a proposé, dit-elle à un journaliste du magazine français *Je chante*, en 1999. J'étais un peu "brouillée" avec lui et je n'avais pas vraiment envie de reprendre, je n'y croyais pas vraiment. Mais je commençais à être dans une impasse, il ne se passait pas grand-chose pour moi, et je me suis dit : "Ça ne peut pas être mauvais." Mais ce n'est pas parce que ce n'est pas mauvais que c'est bon. Ce n'était pas mauvais, mais ce n'était pas intéressant non plus, c'était de la redite. »

Redite ou pas, le disque *Bonjour* contient tout de même d'excellentes chansons, comme *Jos, tu m'fais du tort*, *Je suis un chat*, *Prends-moi* et *Le bonheur*, qui arrivent à séduire le public. Ces retrouvailles avec Stéphane Venne donnent lieu à la création d'un spectacle imaginé autour des grands succès de l'auteur-compositeur, qui réunit Emmanuëlle et Renée Claude. Durant cette période, les auditeurs peuvent aussi entendre Renée Claude à la radio dans le très séduisant duo *Saint-Jovite* qu'elle fait avec Jean Robitaille.

Renée Claude est encore une chanteuse très aimée du public, mais elle voit bien que les choses changent autour d'elle, que l'industrie du disque et du spectacle se transforme. Et puis, il y a la difficulté grandissante de trouver des auteurs et compositeurs capables de lui offrir des chansons à la mesure de ses attentes. Cela la pousse à faire, durant cette période, quelques tentatives comme auteure.

À part de rares collaborations avec Stéphane Venne dans les années 1960, Renée Claude n'a jamais osé prendre le crayon pour écrire des textes ou s'asseoir au piano pour composer des musiques. Là, elle ose. Dans *Un cœur apaisé*, elle explique cette envie. « Je ne me suis jamais trouvé un talent pour cela. Mais des fois, je recevais des textes tellement moches que je me disais que je pourrais faire aussi bien. »

Mais ces essais ne sont pas accompagnés d'encouragements de son entourage, particulièrement des hommes. Elle abdique. Dans une lettre publiée dans *La Presse*, en 1980, elle s'attaque férocement au machisme régnant. « Ce n'est qu'il y a trois ans environ que j'ai osé mettre des mots sur papier, encouragée et poussée dans le dos par mes amies Mouffe et Louise Forestier. Heureusement qu'elles étaient là, car si j'avais attendu un encouragement en ce sens de mes amis auteurs ou compositeurs, j'aurais sûrement attendu toute ma vie. »

Tout en soulignant le bonheur qu'elle a eu à interpréter « certains beaux textes » des auteurs qui ont gravité autour d'elle, Renée Claude décrit la difficulté pour une femme de puiser la confiance nécessaire en soi pour franchir cette étape. « L'homme crée, la femme exécute, reprend-elle. Il se peut que ce que j'écrive n'ait aucune valeur, mais comment le savoir si on ne me laisse pas le temps qu'il faut pour le prouver un jour. On n'a jamais empêché un homme de "s'essayer" à ce que je sache. »

On comprend alors pourquoi devant ses camarades interprètes devenues auteures, Diane Dufresne et Louise Forestier particulièrement, Renée Claude est béate d'admiration. « Renée était tellement heureuse que Diane fasse son premier disque en tant qu'auteure, dit André Ducharme. Elle disait : "Moi, je ne suis pas capable d'écrire, mais que Diane arrive à faire ça, je trouve ça fabuleux".» Cette fierté, elle l'éprouvera également quand Louise Forestier signera ses premiers textes. « De toutes les chanteuses que j'ai connues, Renée est celle qui a été la plus solidaire avec les femmes », dit son amie.

L'année 1978 se poursuit avec une tournée d'une semaine en Colombie-Britannique et de la co-animation, le temps de quelques émissions, à *L'heure de pointe* avec Winston McQuade. Elle quitte l'appartement qu'elle louait dans une tour de l'avenue des Pins, celle qui a inspiré la série de Denise Filiatrault, *101, Ouest, avenue des Pins*, pour acheter une maison dans la rue Nelson à Outremont.

Les engagements sont de plus en plus rares, les salles de plus en plus clairsemées. Le cruel cycle de la gloire fait son œuvre. Renée Claude prend la décision de ne plus présenter de spectacles avec ses anciennes chansons. Elle a envie de nouveaux défis, d'aller voir ailleurs si elle y est. Le moment est propice à une réflexion sur la gloire. Pourrait-elle se passer de cette drogue qu'est l'amour du public? Qu'est-ce qui la pousse à rechercher l'attention? Que vient-elle puiser au juste dans cet acte délibérément exhibitionniste? Elle ose se poser ces questions.

«Je dis souvent que les artistes sont névrosés, dit-elle. Il y en a des pires que d'autres. On n'est pas des gens parfaitement équilibrés, on a un très gros *ego*. Pour aller faire l'exhibitionniste devant 3000 personnes, il faut avoir une mentalité spéciale.» Dans un portrait qu'André Ducharme fait d'elle dans le magazine *Perspectives*, en 1980, elle va plus loin. «Dans ma famille, tout le monde me semblait plus doué que moi. Si je suis la seule à pratiquer ce métier, c'est sans doute que je suis la plus malade mentale.»

Cette gloire, Renée Claude l'a évidemment recherchée et souhaitée. Elle connaît mieux que quiconque le rôle qu'elle a joué dans sa vie. « Je n'ai pas fait cette carrière pour rien, reconnaît-elle. Si je m'imposais de monter sur scène, c'est parce que j'allais assouvir quelque chose. Et ce quelque chose est un grand besoin d'amour. Tu veux être aimée, être reconnue, être mise sur un piédestal. Et une fois que tu obtiens ça tu te rends compte que c'est complexe. Ça complique certaines choses, comme ton rapport avec les hommes. Moi, je veux les deux : je veux qu'on ne me prenne pas pour n'importe qui et en même temps je veux avoir un rapport égal avec les gens. »

Cette réflexion sur le métier, la gloire et le succès est accompagnée d'une longue et difficile psychanalyse. « Un jour où j'étais avec ma sœur Christiane et un ami, je parlais de moi. Il y a eu un *momentum* et ils m'ont dit que je ne m'intéressais pas assez aux autres. Ça ne m'a pas fait plaisir, c'est sûr. Mais, en même temps, j'ai trouvé qu'ils avaient totalement raison. » Renée Claude a toujours porté un regard lucide sur le succès. En 1993, dans une entrevue accordée à Francine Julien, du *Soleil*, elle dit : « Le succès pop, c'est très éphémère. De très rares artistes arrivent à avoir la cote plus de cinq ou sept ans. »

Avec beaucoup de clairvoyance, elle aime à dire que le succès d'un artiste dépend de cinq éléments : le talent, le bon texte, la bonne musique, les bons arrangements et le bon moment. « Si tu n'as pas ces cinq choses-là, ça ne marche pas, dit-elle. Avec Plamondon, par exemple, je considère qu'il m'a manqué le bon moment. Les gens avaient, à ce moment-là, une lassitude de me voir. Le public et les radios en avaient assez de moi. Si j'avais continué avec Stéphane Venne, ça aurait été la même chose. C'est bien dommage à dire, mais, quand les gens t'ont assez vue, c'est comme ça.»

Alors que surgissent de partout de nouvelles voix, que les contrats sont de moins en moins paraphés, elle songe aux concessions qu'elle a la plupart du temps refusé de faire. Aurait-elle dû satisfaire les demandes de ses agents? «Renée n'aurait pas pu avoir une carrière comme certaines grandes stars d'aujourd'hui, dit André Ducharme, car elle était souvent en désaccord avec ce qu'on lui demandait de faire. C'est ce qui explique qu'elle a eu plusieurs agents. Elle était timide, certes, mais aussi volontaire. Elle savait ce qu'elle voulait faire et ce qu'elle ne voulait pas faire. Les gens se demandaient pourquoi elle ne faisait plus telle ou telle chanson dans ses spectacles. C'est elle qui décidait du choix et de l'ordre des chansons dans ses spectacles. Elle se disait que si les gens ne voyaient pas la logique derrière cela, ce n'était pas grave. Mais pour elle, cette logique comptait.»

Hélène Pedneault, qui a longtemps travaillé avec Renée Claude, est de cet avis. «On ne peut faire faire quelque chose à Renée quand elle n'a pas envie de le faire», dit-elle lors de l'hommage que Québecor lui rend en 2008. «Renée a toujours été réservée, mais elle pouvait avoir du caractère, dit son frère Michel Bélanger. Elle savait ce qu'elle voulait et ce qu'elle ne voulait pas. Quand ça ne correspondait pas à ses attentes, ça ne passait pas. Son succès est en grande partie attribuable à ce trait de caractère.»

Bien avant l'avènement des téléréalités, Stéphane Venne fait chanter à Renée Claude, dans la chanson *Le bonheur*, les mots suivants: « [...] le bonheur pour tout le monde c'est d'être télévisé.» On le sait aujourd'hui, la gloire préfère l'instantanéité. On veut être connu aussi rapidement que des photos sortent d'un photomaton. L'industrie, de plus en plus tournée vers un public jeune, comprend cela.

«Elle était d'une grande lucidité là-dessus, dit André Ducharme. Elle disait: "Je sais que je ne suis pas une chanteuse géniale, mais est-ce qu'on peut juste être bonne et meilleure en vieillissant?" Elle acceptait qu'entre elle et une jeune chanteuse le public allait choisir celle qui est plus neuve, plus *cute*. Mais elle ne comprenait pas qu'en vieillissant, alors qu'elle se trouvait meilleure, on trouvait sa compagnie artistique moins intéressante. Plus âgée, elle avait le sentiment d'être une artiste plus accomplie que dans ses années de gloire.»

Renée Claude connaît ses forces et ses limites. Grâce à cela, elle a pu faire les bons choix. «Le plus dur n'est pas de débuter, mais de durer, même si ce n'est pas toujours avec la même intensité, dit-elle lors d'une entrevue pour *L'actualité* publiée en 1994. J'ai encore des comptes à régler avec moi-même. J'ai besoin de savoir que je suis capable de donner plus que ce que j'ai déjà donné. À chaque projet, je mets la barre plus haut. Mais j'ai assez d'humilité et de lucidité, maintenant,

18. Dès le début de sa carrière, Renée
Claude souhaite interpréter des
auteurs et compositeurs québécois.
Elle se tourne alors vers Clémence
DesRochers, Jean-Pierre Ferland,
Gilles Vigneault et Claude Léveillée.

19. Dans les années 1960, Renée Claude est une invitée chouchoute de l'émission *Jeunesse oblige*, particulièrement de sa portion « boîte à chansons ».

20. Trouver de bonnes chansons, telle est l'unique ambition de Renée Claude. Elle aime par-dessus tout interpréter de nouvelles œuvres.

21. Au milieu des années 1960, Renée Claude délaisse le noir, qui l'avait jusqu'ici caractérisée. Elle craque pour une robe qu'elle s'offre en rouge et en blanc.

22. Le troisième disque de Renée Claude a pour titre *Il y eut un jour*. On la voit ici en compagnie des deux créateurs : Stéphane Venne et François Dompierre. Quant au comédien Hubert Loiselle, il prête sa voix à la chanson *Séduction*.

23. Renée Claude et Hubert Loiselle, lors des sessions d'enregistrement du disque *Il y eut un jour* en 1965. Une grande et douloureuse histoire d'amour unit la chanteuse et le comédien.

24. En août 1966, Renée Claude représente le Canada au Festival de Sopot, en Pologne. Elle s'y rend en compagnie du chef d'orchestre Paul de Margerie et de Gilles Vigneault.

25. En 1967, Renée Claude quitte la maison Select pour rejoindre Columbia. Elle enregistrera un seul disque sur cette étiquette. Ce fabuleux opus marque un tournant dans sa carrière.

26. Stéphane Venne et Renée Claude ont inventé un son qui a fortement marqué le Québec de la fin des années 1960 et du début des années 1970. Ils sont à l'origine d'un nombre impressionnant de succès.

27. 1969 marque la sortie du premier disque avec Barclay et le sommet d'une fructueuse association avec Stéphane Venne. *C'est notre fête aujourd'hui* est leur premier grand succès.

28. Les photographes ont toujours aimé Renée Claude. Les plus grands ont souhaité braquer leur objectif sur elle, dont le talentueux Gaby.

29. Renée Claude a toujours eu la passion des bagues. Pour elle, Luc Plamondon et Michel Robidoux ont créé *La bagomane*.

30. Parmi les nombreux succès de Renée Claude, il y a *Viens faire un tour,* de Michel Conte. On voit ici l'interprète et l'auteur-compositeur lors du gala de La Clé d'or, où la chanson remporte le premier prix. Ils sont entourés de Jacqueline Vézina et Guy Godin.

31. À l'été 1970, Renée Claude tient l'affiche pendant deux semaines du pavillon du Canada à l'Exposition universelle d'Osaka, au Japon.

32. Renée Claude a effectué deux grandes tournées en Russie (1971 et 1972). La voici en 1971 dans un théâtre de Moscou.

pour accepter mes limites : je ne serai jamais la grande chanteuse que j'aurais voulu être. Pourquoi faudrait-il toujours être exceptionnel ? Être bon, c'est déjà bien. »

Celle qui a fait ses débuts dans les boîtes à chansons voit pousser autour d'elle une nouvelle génération d'artistes. Loin d'être aigrie, elle est, comme elle sera toujours d'ailleurs, admirative de ces nouveaux talents. « Je n'ai jamais entendu Renée dire du mal d'un artiste, témoigne le pianiste François Dubé. Elle pouvait ne pas l'apprécier personnellement, mais elle lui trouvait toujours des qualités artistiques. Je me souviens que, quand je lui ai fait découvrir Sylvie Bernard, elle m'avait dit : "Cette fille-là fait exactement tout ce qu'il ne faut pas faire sur une scène, mais avec elle ça marche." Elle tentait toujours de voir le bon côté des choses. »

L'artiste qu'elle est adore voir ses camarades sur scène. Elle est de toutes les grandes premières. L'émotion liée à la découverte d'un jeune artiste est précieuse pour elle. Elle a ses préférés. Jean Leloup, Catherine Major et Pierre Lapointe font partie de ceux-là. Alors que plusieurs artistes jalousent ceux qui sont sur scène, Renée Claude est fascinée par ceux qui « font ce qu'elle n'arrive pas à faire ». Diane Dufresne par-dessus tout.

À 40 ans, Renée Claude se sent vieille. Mais elle refuse de croire que la carrière qu'elle a su admirablement bâtir puisse s'arrêter là. Elle met tout en œuvre afin que la vie lui permette de faire ce qu'elle aime le plus au monde : chanter. Alors que certaines camarades bradent leur âme pour emprunter des avenues qui ne leur conviennent pas, elle persiste et signe : elle remonte la rivière et retourne à la source.

Elle sait qu'en faisant cela elle saura trouver de bonnes chansons. Celles qui toucheront le public. Et qui lui donneront le goût de chanter.

Elle a rendez-vous avec eux

Au début de l'année 1980, un débat fait rage au Québec. Il porte sur la clarté, ou non, de la question qui sera soumise lors du référendum sur le projet de souveraineté prévu en mai. Les discussions sont vives, la tension est palpable. Les pages des journaux sont tapissées d'articles, de chroniques, d'éditoriaux et de sondages sur le sujet. Il y a quelques emportements, des dérapages également.

Renée Claude suit avec beaucoup d'intérêt les débats qui ont lieu. La souverainiste qu'elle a toujours été espère que le oui l'emportera. Depuis le début de sa carrière de chanteuse, elle répond présente chaque fois qu'on lui demande d'ajouter sa voix à ceux qui souhaitent un Québec souverain. Déjà, en 1964 et 1965, elle prend part aux galas du RIN, le Rassemblement pour l'indépendance nationale, en compagnie d'artistes comme Monique Leyrac, Claude Léveillée, Hervé Brousseau, Jacques Blanchet, Claude Gauthier, Jean-Guy Moreau et André Gagnon. Ces événements permettent au parti de Pierre Bourgault de se préparer aux élections de juin 1966.

Des années plus tard, l'équipe du Parti québécois sait qu'elle peut compter sur Renée Claude. Dès le commencement des années 1970, sa chanson *Le début d'un temps nouveau*, très appréciée par René Lévesque, est utilisée lors des grands rassemblements qui conduiront le parti à son élection le 15 novembre 1976. Renée Claude est souvent invitée à interpréter son grand succès devenu pour les souverainistes un hymne galvanisant et annonciateur de changement. Hélène Pedneault se souvient de René Lévesque qui, intimidé par la chanteuse, venait dans sa loge avant sa performance pour la saluer tout en fixant le sol.

Renée Claude est heureuse de contribuer à cette lutte pour la liberté de son peuple. Celle qui ne baisse pas les bras facilement enregistre, après l'échec référendaire de 1980, quelques-unes des chansons-thèmes des fêtes nationales, soit *Salut Québec*, de Stéphane Venne, en 1979, et *Québec! Beaucoup, passionnément!*, d'Hélène Pedneault et Sylvie Tremblay, en 1995. « Nous avions soumis la chanson à un concours, raconte Sylvie Tremblay. Elle a été choisie. Nous avons pensé à Renée pour l'interpréter. J'ai toujours aimé cette chanson. Elle parle encore. »

La mise en valeur et la survie de la culture québécoise comptaient beaucoup pour Renée Claude. Elle y a contribué grâce à la chanson, un art auquel elle a dédié sa vie entière. « À la veille du référendum de 1980, mon père m'avait dit : "Je vais savoir si je mourrai debout ou assis." À mon tour je me demande si je mourrai debout ou assise », déclare-t-elle à un journaliste du *Soleil*, en 2006, soit 11 ans après le second échec référendaire.

Au début des années 1980, Renée Claude fait un geste qui illustre bien la femme engagée qu'elle a toujours su être avec modération. Dans une longue lettre publiée le 26 janvier dans *La Presse*, elle dénonce l'injustice qui frappe les interprètes. Montrant du doigt le système de perception des droits d'auteur, elle lance un poignant cri du cœur afin que ses collègues interprètes puissent récolter une part des redevances.

« Quitte à me faire crier des noms par mes meilleurs amis, je trouve anormal qu'une (ou qu'un) interprète (mais il s'agit généralement de femmes) qui crée une chanson originale, une chanson non interprétée par l'auteur lui-même, ne reçoive pas, ne serait-ce qu'un léger pourcentage des droits d'auteur ou d'édition », écrit-elle.

Désireuse de souligner le rôle des interprètes dans le succès radiophonique d'une chanson, Renée Claude donne en exemple Luc Plamondon qui lui a un jour confié que le tiers des redevances qu'il recevait au Québec provenait de chansons interprétées par elle. Elle parle aussi d'Yvan Ouellet, compositeur du succès *Le ciel du sud* qui, grâce à un seul chèque de la CAPAC, avait pu s'offrir un piano à queue. « Mais moi, avec cette chanson, je suis passée quelques fois à *Boubou* et deux fois au *Ranch à Willie*. On ne s'achète même pas un piano droit avec les cachets qu'on fait avec ces émissions », ajoute-t-elle.

Cette lettre secoue le milieu artistique. Elle lance un débat qui, on le sent bien, est nécessaire. Le geste de Renée Claude portera au bout du compte ses fruits. Quinze ans plus tard, on profitera de la révision de la Loi sur le droit d'auteur pour créer la clause des droits voisins. À partir de là, grâce à la création de la société Artisti, les interprètes auront droit à une part des redevances pour les passages de leurs chansons à la radio. Interviewé par *La Presse* en 1997, l'ex-président de l'UDA, Pierre Curzi, utilise l'exemple de Renée Claude pour parler de cette victoire.

« Cette bataille a failli me coûter mon poste, se souvient-il aujourd'hui. L'UDA a investi une somme considérable pour faire la démonstration que cela était nécessaire. Ce ne sont pas tous les membres qui étaient d'accord avec ça. Mon prédécesseur Serge Turgeon et moi avons persisté. J'en suis très fier. »

Les années 1980 sont un virage difficile à amorcer pour Renée Claude, comme pour d'autres artistes québécois. Une industrie prend forme. Le terme « *show business* », galvaudé par les voisins du sud, prend de plus en plus son sens chez nous. Un *business* de la musique se crée en réussissant la parfaite équation du produit, de l'artiste et de sa mise en marché. On se fout de la durabilité, on veut de la rentabilité.

Cette décennie verra l'arrivée de Johanne Blouin, de Joe Bocan, de Marie Carmen, de Mitsou, de Francine Raymond, de Martine St-Clair, de Diane Tell, de Roch Voisine et des BB. Renée Claude observe cette agitation. Elle sait qu'elle n'a pas une voix klaxonnante, qu'elle n'a plus 27 ans, qu'elle n'a pas autour d'elle des musiciens qui savent se servir des synthétiseurs dernier cri.

Plutôt que de ruminer son amertume et de déménager sur une terre afin d'aller y cultiver des tomates au soleil, Renée Claude suit des cours de karaté. Surtout, elle réfléchit à ce qu'elle doit faire si elle veut exercer ce métier qu'elle aime plus que tout au monde. Elle prend alors ce que certains ont dû qualifier à l'époque de la pire des décisions : retourner aux sources, aux auteurs, aux textes, à la moelle des chansons.

Un soir, alors qu'elle mange avec des amis, Renée Claude parle de son envie de faire un spectacle autour des chansons d'un seul créateur. Elle évoque Clémence DesRochers, celle par qui tout a commencé en 1960. André Montmorency, assis autour de la table, la prend au mot. Il empoigne le téléphone et appelle ses amis du Théâtre de Quat'Sous pour vérifier les disponibilités. On lui dit que le 4'Saouls-Bar, situé dans le hall du théâtre, est libre quelques semaines plus tard. « Renée m'a dit qu'elle était tannée de quêter des chansons, dit Louise Forestier. Elle m'a parlé de son envie de s'emparer d'un seul auteur et de bâtir un spectacle autour de lui. J'ai dit : "Bingo ! T'as trouvé ! Vas-y !" »

Hélène Pedneault, qui a découvert Renée Claude en 1967 lors de son passage au Saguenay en compagnie de Jacques Brel, est maintenant la nouvelle gérante de la chanteuse. Elle a pris la place de Pierre David en 1976 lorsque ce dernier a décidé de se concentrer sur des projets de cinéma. Pedneault, qui est réputée pour déplacer les montagnes, prend en main les destinées de ce spectacle-concept. Ça tombe bien, elle connaît formidablement l'œuvre de Clémence.

Elle appelle le pianiste François Dubé. Celui-ci tombe à la renverse. Ce projet lui permet enfin de travailler avec Renée Claude sur une base régulière, un rêve qu'il caresse depuis de nombreuses années. Il avait eu la chance d'accompagner la chanteuse le temps de quelques spectacles, mais ce concept va permettre aux deux artistes de bâtir une longue et belle relation professionnelle.

Le trio se met au travail. Le spectacle s'appellera *Moi c'est Clémence que j'aime le mieux!*, en référence à la chanson de Clémence, *Le monde aime mieux Mireille Mathieu*. « C'était audacieux comme geste, car j'avais du succès avec mes monologues, mais personne ne pensait à mes chansons, dit Clémence DesRochers. Renée a eu l'idée de prendre mes chansons et d'en faire le cœur d'un spectacle. »

Avec l'aide d'Hélène Pedneault, Renée Claude établit le choix des chansons et des monologues qui composeront le spectacle. Les répétitions commencent. « Ils ont monté le spectacle sans moi, poursuit Clémence DesRochers. J'ai été très touchée et surprise de voir le résultat. »

Le spectacle est créé en février 1980, au 4'Saouls-Bar. Les représentations ont lieu après les spectacles de théâtre offerts en salle. On imagine un décor de boîte à chansons avec des filets de pêche au plafond et des nappes à carreaux. Le soir de la première, l'endroit exigu est plein à craquer. François Dubé, qui accompagne le même soir Nicole Leblanc dans *Les nuits de l'indiva*, doit quitter à la hâte le Théâtre d'Aujourd'hui pour se rendre au Quat'Sous afin d'assurer la représentation prévue à 23 heures. « Je suis arrivé avec le maquillage que je portais dans *L'indiva*, se souvient-il. Il y avait une grande fébrilité dans l'air. »

Dès la fin du spectacle, Renée Claude et toute son équipe savent que celui-ci aura un grand succès. En plus de renouer avec son immense talent d'interprète, le public découvre la comédienne en elle. Il réalise que cette fille, en apparence sérieuse, peut être très drôle. « Au fond, je suis une fantaisiste, confie-t-elle à des journalistes au début de sa carrière. J'ai un masque qui ne m'aide pas. On ne me voit que dramatique. Mais pourtant, moi, je sais. »

Le 4'Saouls-Bar, qui peut accueillir environ 80 personnes, accepte certains soirs plus de spectateurs que prévu. Ceux-ci s'assoient par terre ou dans l'escalier. Une fois de plus, Clémence DesRochers fait briller sa bonne étoile au-dessus de Renée Claude. Cette dernière le lui rend bien en interprétant magistralement ses grandes chansons : *La vie d'factrie, La ville depuis, L'homme de ma vie, Je ferai un jardin* et tant d'autres. « Renée interprète tellement bien mes chansons, dit Clémence DesRochers. Elle ne fait pas d'effet de voix. On voit bien que, pour elle, le texte est important. »

Après avoir tenu l'affiche pendant près de trois mois à Montréal, Renée Claude s'installe pour l'été à La Pulperie de Chicoutimi. Elle va ensuite offrir le spectacle au Théâtre Petit Champlain, à Québec, puis en Gaspésie et ailleurs dans la province. La demande ne cesse de grandir. La chanteuse est comblée. «Elle a fait ce spectacle un peu par vengeance, dira un jour Hélène Pedneault. Elle a voulu prouver qu'elle pouvait faire autre chose que des chansons originales et bâtir un spectacle entier autour d'un seul auteur.»

Entre deux engagements de *Moi c'est Clémence que j'aime le mieux!,* elle offre un spectacle avec Sylvain Lelièvre et Fabienne Thibeault, à Camp Fortune, et un autre en solo au lac des Fées, deux amphithéâtres naturels situés dans l'Outaouais. Elle participe également, pour Radio-Canada, à l'enregistrement d'une émission spéciale en hommage à Charles Trenet en compagnie de Plume Latraverse, Marie Michèle Desrosiers, Guy Boucher, Dorothée Berryman et Joël Denis.

Alors qu'elle surfe depuis des mois sur le succès du spectacle en hommage à Clémence, Renée Claude enchaîne avec la création d'un projet qui met en scène un autre géant qui est présent dans sa vie de chanteuse depuis la première heure : Georges Brassens. Renée Claude est une femme loyale, mais aussi fidèle. Depuis son audition à Radio-Canada, celui dont elle apprécie le regard ironique et le côté anarchique revient dans sa vie.

En compagnie du pianiste Jacques Marchand (François Dubé prendra la relève quelques mois plus tard), elle crée ce spectacle qui rassemble des chansons qu'elle a envie de chanter depuis des années : *Chanson pour l'Auvergnat, La non-demande en mariage, Les amoureux des bancs publics, Il n'y a pas d'amour heureux* et *La marche nuptiale*, chanson qu'elle connaît fort bien pour l'avoir enregistrée sur le disque *Le début d'un temps nouveau*.

Pour *La ronde des jurons*, elle a la bonne idée de demander à Plume Latraverse, le pendant québécois de Brassens selon la chanteuse, d'assortir aux blasphèmes que l'auteur français fait gaiement défiler à d'autres d'une consonance purement québécoise. Le « grand flanc mou » réussit à placer judicieusement dans le texte de Brassens, et dans la bouche de Renée Claude, les saint-ciboire, câline de bine, saint-simonac, maudit crisse, tabaslak et maudit verrat.

Quelques jours avant que le spectacle soit créé au 4'Saouls-Bar, Georges Brassens meurt le 29 octobre. Renée Claude est ébranlée. La dernière chose qu'elle souhaite, c'est que le public s'imagine que ce spectacle est une forme d'exploitation de la disparition du chanteur. Après réflexion, l'équipe décide de maintenir le plan établi. Ainsi, *J'ai rendez-vous avec vous* est créé le 13 novembre devant des spectateurs totalement ébahis.

Dans *Le Devoir* du 19 novembre 1981, la critique Nathalie Petrowski dit tout le bien qu'elle pense de ce spectacle. « Elle réussit à éviter la nécrophilie d'un Elvis Presley et nous épargne le sentimentalisme larmoyant des salons funéraires. Son travail tend plus à la déclaration d'amour qu'au cours de chanson et d'histoire», écrit-elle avant de souligner le «respect timide» et le «regard romantique» que la chanteuse semble avoir pour le géant.

Après Montréal, le spectacle est présenté au Petit Champlain, à Québec, durant une semaine. Puis Renée Claude alternera, selon les demandes, les spectacles sur Clémence et ceux sur Brassens. Elle fera cela pendant de très nombreuses années. Cette alternance causera à un certain moment un imbroglio à la chanteuse et à son pianiste.

«Un jour, on arrive dans un théâtre et on installe nos trucs, raconte François Dubé. Je ne me souviens plus si on devait présenter le Clémence ou le Brassens, mais, chose certaine, je me suis rendu compte qu'on n'annonçait pas le bon spectacle dans le hall. Je connais Renée et je savais qu'elle allait refuser de changer d'univers en un quart de tour. Je suis allé la voir dans sa loge pour lui annoncer la chose. Le producteur avait vendu tous les billets. On a finalement remballé le matériel et nous sommes partis. Renée était chavirée. Elle disait : "Qu'est-ce que les spectateurs vont dire ? Ce n'est pas moi, ça !"»

François Dubé garde un merveilleux souvenir des nombreuses tournées qu'il a connues avec Renée Claude. «J'étais le chauffeur, dit-il. J'arrivais chez elle, les éléments de décor [quelques photos de Brassens] étaient près de la porte. Elle avait toujours sa valise grise qui pesait une tonne. On mettait mon clavier et son stock dans la voiture, et on partait. » Quand ils le peuvent, le pianiste et la chanteuse aiment se retrouver au restaurant L'Express, rue Saint-Denis à Montréal, après les spectacles. « Un soir, on était à La Tuque, je lui ai dit : "Es-tu prête ? On s'en va manger à L'Express." Je roulais à 120. »

Après des centaines de spectacles avec Renée Claude, François Dubé demeure impressionné par la rigueur et le professionnalisme de la chanteuse. « Le spectacle Brassens commençait avec Renée qui portait une moustache et tenait une guitare entre les mains, aime-t-il à raconter. Elle faisait semblant de jouer de l'instrument et de chanter en imitant Brassens. Après la chanson, il y avait les applaudissements et, moi, je lançais l'intro au piano de *J'ai rendez-vous avec vous*. Tout était calculé. Ça lui laissait suffisamment de temps pour retirer la moustache, la coller sur la guitare, reculer de deux pas, poser l'instrument sur un support, revenir au micro et commencer la chanson. C'était chaque soir exactement la même chose. Renée m'a enseigné les bienfaits de la précision. »

Lors d'une tournée en Russie en 2001, avec le spectacle Brassens, Renée Claude vit un truc inimaginable. « C'était à Saint-Pétersbourg, se souvient François Dubé. L'organisateur avait décidé que Renée allait faire des blocs de trois chansons et qu'il allait venir sur scène présenter les trois chansons suivantes en russe. J'ai cru que Renée allait virer folle. À l'entracte, elle me dit : "Si ça continue comme ça, le *show* va durer trois heures!" On a ensuite fait 13 heures de train au charbon pour aller jouer à Vilnius, en Lituanie. »

À la fin de 1982, Renée Claude lance le disque *Moi c'est Clémence que j'aime le mieux!* Son frère Richard le réalise. Il sera suivi un an plus tard de *Renée Claude chante Brassens.* Alors que la décennie des années 1980 voit la montée de la vague *new wave*, Renée Claude promène les chansons de ces deux auteurs. Pendant qu'une nouvelle génération d'artistes québécois trône au sommet des palmarès, souvent avec des chansons interprétées en anglais, elle offre au public la poésie de Georges Brassens et de Clémence DesRochers avec comme seul artifice... un piano.

À la radio, on l'entend tout de même avec *En vacances* et *Désarmons*, des chansons de Luc Plamondon qu'elle lance en *single*. Plus tard, en 1985, elle est de l'enregistrement de la chanson *Les yeux de la faim* signée Jean Robitaille et Gil Courtemanche en compagnie d'une quarantaine d'artistes québécois, dont Yvon Deschamps, Martine St-Clair, René Simard, Gilles Vigneault, Céline Dion, Claude Léveillée et Nanette Workman. Ce *We Are The World* québécois, destiné à venir en aide à l'Éthiopie, est lancé en mai.

Au milieu des années 1980, les cachets se font plus petits pour Renée Claude qui doit trouver des moyens de gagner sa vie autrement que par les spectacles. Son ami André Ducharme, qui dirige le magazine *Montréal ce mois-ci*, lui confie une rubrique. Pendant deux ans, elle rencontre une foule de personnalités et leur soumet des questions sur la beauté et la santé, celles du corps et de l'âme. Elle se tourne vers des gens qu'elle aime et qu'elle admire : Andrée Lachapelle, Diane Dufresne, Michel Tremblay, Jean-Pierre Ferland, Clémence DesRochers et Lise Watier.

Dans ce magazine, elle signe un reportage où elle parle des bienfaits des jeûnes. Renée Claude est une adepte de cette pratique. Même s'ils sont parfois difficiles à mener, ces jeûnes lui procurent, au bout du compte, un bien-être. Ils sont l'aboutissement d'un long processus afin de trouver un apaisement aux nombreux maux qui l'affligent. L'hypoglycémie, les problèmes de sommeil et la fibromyalgie font partie du quotidien de Renée Claude.

À ses proches, elle n'hésite pas à parler de ces problèmes. Elle trouve la plupart du temps une oreille compatissante à ses épanchements au sujet de son corps. Une fois, cependant, elle a du mal à se faire entendre. Clémence DesRochers, sa conjointe Louise Collette et Luc Plamondon ont le souvenir d'une fin de semaine mémorable au chalet d'André Gagnon, dans les Laurentides. D'autres amis, comme Francine Chaloult et Georges-Hébert Germain, sont également présents.

En fin d'après-midi, le joyeux groupe va patiner sur le lac qui se trouve en face de la demeure de Gagnon. Renée Claude fait une malheureuse chute. Au retour, elle se plaint de graves douleurs. Mais les amis, qui n'ont pas tellement envie de passer leur soirée aux urgences, lui recommandent de prendre des

Tylenol. Quelques jours après ce week-end festif, un médecin confirme à Renée Claude qu'elle a une hanche fracturée. «Pauvre Renée, dit Louise Collette. On se sent encore coupables.»

En 1986, elle sort le disque *Le futur est femme*. Ce projet est porté à bout de bras par l'auteur et producteur Marc Desjardins. Lui et Renée Claude se sont rencontrés trois ans plus tôt lors de la finale du Festival international de la chanson de Granby. Ils font partie du jury qui a proclamé sous les huées du public Jean Leloup grand gagnant dans la catégorie auteur-compositeur-interprète. Marc Desjardins travaille à cette époque avec Marie Michèle Desrosiers et Eva.

Pour ce projet avec Renée Claude, il agit comme producteur, réalisateur et auteur en signant les 10 chansons du disque. Les musiques sont confiées à divers compositeurs, dont plusieurs à Serge Laporte. «Une fois fait, on a eu un mal fou à trouver un partenaire pour le sortir, raconte Marc Desjardins. Heureusement, grâce à la générosité de Clémence DesRochers et André Gagnon, on a pu le presser, créer un label et le mettre en marché.»

Les chansons *Une de trop* et *Jour après jour* connaissent un succès à la radio, mais les autres ont du mal à se frayer un chemin. «Heureusement qu'il y a eu Radio-Canada, dit Marc Desjardins. Les stations privées refusaient de nous tourner. Je me souviens d'une conversation avec un programmateur d'une radio commerciale. Il m'a dit : "Les chansons sont bonnes. Le problème, c'est Renée Claude. "»

Après cette autre tentative afin de séduire les radios, Renée Claude comprend qu'elle ne fait plus partie du tableau que brossent entre eux ceux qui tirent sur les ficelles. En 1991, lors d'une entrevue avec un journaliste de *La Presse Canadienne*, elle en profite pour régler ses comptes et dire tout haut ce qu'elle pense du monde de la radio commerciale. «Nous sommes devenus des produits pour ces gens-là. Pour eux, la chanson est comme la mode : une année au-dessus du genou, une autre en bas du genou [...] J'en ai un peu marre de ces programmateurs du genre CKOI. Qui sont-ils pour déterminer qui je suis ? Si je fais quelque chose de différent, on dit : ce n'est pas son style. Si je fais une chanson dans la même veine, on dit : c'est toujours la même chose [...] Leur loi, c'est qu'on ne passe pas de vieille. »

Mais cette décennie n'est pas faite que de déceptions. Bien au contraire. Il y a sa famille et ses amis. Tous ceux qui, en y mettant le temps, ont réussi à se rapprocher de Renée Claude s'entendent pour dire qu'elle n'accorde pas sa confiance facilement. Il faut travailler fort pour ouvrir le coffre. Mais une fois que cela est réussi, l'amitié qu'elle accorde est inébranlable. Les véritables amitiés qu'elle a entretenues durant sa vie sont peu nombreuses. Mais elle les a nourries avec constance. Dans ce cercle restreint d'amis, il y a André Gagnon, Louise Forestier, Mouffe, Luc Plamondon ainsi que le journaliste et auteur

André Ducharme. Le comédien André Montmorency, décédé en 2016, a aussi beaucoup compté pour elle.

La décision de vendre la maison qu'elle possède depuis quelques années dans la rue Nelson et de louer un appartement sur l'avenue Lajoie la rapproche de son amie Louise Forestier. «Renée a détesté être propriétaire, dit Louise Forestier. Ce n'était pas pour elle.» Les deux chanteuses sont des amies de longue date. «Je travaillais comme ouvreuse à la Place des Arts dans les années 1960 et je l'avais placée lorsqu'elle venait avec Stéphane Venne, se souvient Louise Forestier. Elle était d'une incroyable beauté.»

Les deux femmes se voient régulièrement. «Un jour, on a pris la décision toutes les deux de se mettre en forme, se souvient Louise Forestier. Deux fois par semaine, on partait et on allait s'entraîner. On en profitait pour parler de nos affaires de filles. On se trouvait vieilles. Ça s'peut-tu?»

Les deux amies parlent de leur désir de rencontrer un homme qui les comblera. Renée Claude ne se doute pas que cette chose est sur le point de se réaliser.

L'amoureux et le poète

LES «AFFAIRES DE FILLES» QUI FONT PARTIE DES CONVERSA-
tions entre Louise Forestier et Renée Claude comprennent les
nombreuses déceptions que la seconde a connues avec les
hommes. Plusieurs années de thérapie ont été nécessaires
pour «retourner les pierres», comme elle le dit. Devant Denise
Bombardier qui la reçoit à son émission *Raison passion*, en 1997,
elle ouvre les vannes. «La première fois que je suis allée
consulter, j'ai dit : "Je hais les hommes! Est-ce que c'est normal? Est-ce que je suis lesbienne?" Le psy m'a dit : "C'est
normal, après ce que vous avez vécu, que vous haïssiez les
hommes. Il y a trop de blessures." Sauf que je me rends compte
qu'il reste toujours quelque chose.»

Dans le documentaire *Un cœur apaisé,* elle aborde de front
la question du rapport complexe qu'elle a souvent eu avec les
hommes qui furent ses amoureux. «Je leur en ai tellement
voulu de m'avoir fait souffrir et toujours au fond pour les
mêmes raisons : cette difficulté, cette incapacité à vouloir
s'engager, ce manque de générosité dans l'amour.»

Entre un homme volage et un second aux prises avec diverses dépendances, Renée Claude tente de trouver dans les nombreuses années que dure sa psychanalyse les clés qui pourraient expliquer les choix qu'elle a faits. Durant cette période d'introspection, elle ferme les volets. « J'aurais pu voir passer Brad Pitt, je ne l'aurais même pas vu, reprend-elle. Je me soignais. Je voulais savoir ce que je voulais et ce que je ne voulais plus. »

La plupart des hommes que Renée Claude a aimés étaient tout comme elle des artistes. Ces choix n'aident pas les choses. « Le problème, c'est qu'elle est souvent tombée amoureuse d'artistes qui avaient un *ego* surdimensionné, plus gros que le sien », dit André Ducharme.

Et puis, elle est la première à le reconnaître, elle est attirée par des hommes atypiques, qui sortent du lot. « Je n'aime pas les hommes *straights*, dit-elle. Je suis intéressée par les êtres ambigus. Quand tu es attiré vers les gens troublés, tu vas forcément vers le trouble. » André Ducharme confirme : « Elle a toujours eu un faible pour les gars marginaux. » Ce penchant lui fera d'ailleurs rencontrer un jour un ex-prisonnier. Cet homme lui écrivait de la prison. À sa sortie, Renée Claude et lui ont eu une brève relation.

L'année 1986 change la vie de Renée Claude. Elle fait la rencontre de Robert Langevin qui deviendra « l'homme de sa vie ». Âgé de 30 ans, cet étudiant en océanographie avait toujours rêvé de rencontrer la chanteuse. La façon dont il y parvient est digne d'un scénario de film. « Serge, un ami de mon frère, fréquentait Louise Latraverse, raconte-t-il. Un soir, alors que nous mangions tous ensemble, je lance une boutade et je dis que, moi aussi, j'aimerais sortir avec une artiste. Je balance deux noms : Carole Laure et Renée Claude. J'avais vu Renée à la télé peu de temps avant et elle avait dit quelque chose comme : "Je ne suis pas solitaire, mais j'aime beaucoup la solitude." Ça m'avait beaucoup plu. »

Un mois plus tard, l'amoureux de Louise Latraverse appelle Robert Langevin et lui dit qu'il a échafaudé un plan pour lui faire rencontrer Renée Claude. « L'idée était que j'accompagne Louise au lancement d'un livre rassemblant les textes de chansons de Clémence DesRochers. Renée devait y être. Je me souviens que c'était le 12 novembre. Bref, on se pointe là et, sitôt arrivés, Louise Latraverse me largue là. J'étais perdu, je ne connaissais personne du milieu artistique. J'étais dans mes petits souliers, mais en même temps j'avais envie de foncer. Tout à coup, Renée arrive. Elle était avec sa sœur Christiane. Pour casser la glace, je lui ai proposé de la débarrasser de son manteau. Elle a refusé. Ça partait mal pour moi. Mais on a commencé à discuter, notamment du jeûne dont nous étions des adeptes. »

À la suite de cette rencontre, Robert relance Renée deux ou trois fois. « Je n'essuyais jamais de refus, dit-il. J'allais la chercher dans ma petite Renault 5. Vous imaginez un peu la scène... Elle, la chanteuse archiconnue, moi, l'étudiant qui fonctionnait avec de l'argent de poche. » À peu près au même moment, Louise Forestier rencontre elle aussi un homme. C'est l'amour fou en stéréo ! « On s'appelait et on se parlait de nos histoires d'amour, dit Louise Forestier. Renée était tellement heureuse ! »

Assez rapidement, Robert lui propose de vivre ensemble. La surprise est grande pour Renée Claude. « Je ne crois pas que c'était prévu dans son scénario de vie, dit Robert Langevin. Quand on a presque 50 ans et qu'on en a bavé avec les hommes, on se dit que la prochaine fois la formule sera différente. Au bout de cinq ou six semaines, à l'automne, elle m'a dit oui. Je suis débarqué chez elle avec ma télévision, un matelas et une table de bureau. C'est tout ce que j'avais. »

Au fil des mois, le couple apprend à se connaître, à vivre ensemble. Elle devient Tinée pour lui, il devient Bibi pour elle. « J'ai aimé cette femme dès le premier jour, dit Robert Langevin. Ma relation avec elle a toujours été d'une grande facilité. Il n'y a rien chez elle qui me déplaît. Elle est douce, généreuse, romantique, sensuelle, élégante, raffinée, sensible et pure, mais aussi exigeante, introvertie, solitaire, réservée. Je suis tombé dans un rêve éveillé et j'y suis toujours. Elle m'a rendu et me rend encore tellement heureux. Je suis marqué à jamais par sa beauté, tant intérieure qu'extérieure. »

Cette rencontre est d'autant plus surprenante que quelques années avant qu'elle ait lieu, soit en septembre 1979, elle déclarait à André Robert, du magazine *Le Lundi*, qu'elle n'a pas encore rencontré le bon gars. Et pour décrire ses attentes quant au prochain qui se présentera, elle dit : « Je le veux doux, sensible, intelligent, romantique et réaliste. » Ces traits dépeignent fort bien celui qui est entré dans sa vie sept ans plus tard.

L'écart de 17 ans entre les deux amoureux suscite au départ la perplexité. Mais cela n'a aucune importance pour le couple. « J'ai parfois entendu à travers les branches que certaines personnes disaient que notre relation n'allait pas durer », dit Robert Langevin. Visiblement, ceux qui ont cru cela se sont royalement trompés.

Robert doit parfois rassurer Renée qui craint que cette histoire d'amour ait une fin. « Elle avait parfois peur que je la quitte pour une plus jeune, dit-il. De mon côté, j'étais amoureux fou d'elle et il était hors de question que ça se produise. Renée a longtemps eu une retenue à exprimer son amour pour moi. C'était sans doute sa façon de se protéger. C'est une femme tellement secrète, et je découvre aujourd'hui par des témoignages et des écrits à quel point elle m'a aimé. »

Celui que Renée Claude décrit comme un « cadeau du ciel » se voit offrir un poste de biologiste à Québec. Le couple doit adopter un mode de vie à distance. « Je crois que ce fut finalement une bonne chose pour elle, dit Robert Langevin. Elle avait besoin de se retrouver seule. Quand on se retrouvait, c'était toujours la fête. Au fond, Renée était bien avec elle-même et j'ai accepté cela. »

Les week-ends font honneur à la gastronomie et aux bons vins. Robert s'occupe du plat principal, et Renée, de la salade. «Ça, c'était son truc, sa spécialité», dit Robert Langevin. Les deux s'entendent merveilleusement bien sur un point: goûter au plaisir que procure la lenteur des choses. «Quand ils invitaient à manger, on se mettait rarement à table avant 21 h 30», dit André Ducharme.

Lorsque le couple achètera une coquette maison à Rosemont, en 2004, Robert héritera d'un jardin créé par les précédents propriétaires. Ça deviendra son antre, sa passion. Renée préférera s'installer dans la verrière pour l'admirer. «Elle ne s'en est jamais occupé, mais elle appréciait sa présence, dit Robert. Il fallait que j'insiste pour lui montrer les nouvelles fleurs que je venais d'y planter ou pour que nous nous y installions pour manger ou prendre un verre. Cependant, le grand air et le sport sont probablement les seuls domaines où nous ne nous rejoignions pas. Nous nous retrouvions si bien dans l'intimité de la tendresse réciproque, des repas en tête-à-tête, dans le plaisir d'aller au cinéma et des voyages en Italie. Je crois que Renée et moi, nous nous sommes avant tout rejoints sur le fond, sur des valeurs de vie. La beauté, l'esthétique, le calme, la sobriété, l'amour, la bonté et l'intégrité nous unissent.»

Dans cette maison, Renée Claude recréera son décor. Elle qui a toujours aimé les beaux intérieurs dispose les meubles anciens qu'elle a accumulés au fil du temps, particulièrement quand elle a fréquenté Roger Joubert dans les années 1970.

Le comédien et elle partageaient cette passion pour les anti-quités. Dans le salon, elle met son vieil harmonium, un instrument devant lequel elle aime s'installer à Noël. «Dans ses appartements et ses maisons, il y avait toujours des tapis, dit Robert Langevin. Comme si elle avait envie de se créer un cocon.»

Lorsque Robert Langevin entre dans la vie de Renée Claude, celle-ci est en pleins préparatifs du spectacle *Partenaires dans le crime*, qu'elle doit présenter avec Claude Léveillée. Marc Desjardins est à l'origine de ce projet. «On a pu monter ce *show* grâce au financement qu'on a obtenu pour faire un documentaire sur cette aventure, raconte-t-il. Le résultat a pris la forme d'un documentaire et d'un spectacle qui se nourrissaient l'un l'autre.» Le concept réunit les deux monstres sacrés de la chanson québécoise dans un spectacle où chacun interprète ses chansons. Mais à la fin, dans un long pot-pourri, les deux amis se refilent leurs grands succès. «C'était drôle de voir Léveillée chanter *Un gars comme toi*», dit Marc Desjardins.

La création du spectacle, présenté du 27 janvier au 1er février 1986 au Théâtre Arlequin, et le tournage du documentaire se déroulent dans l'harmonie. «Claude pouvait être très paresseux, dit Marc Desjardins. Mais sans doute que la rigueur de Renée l'a incité à travailler davantage.»

Renée Claude s'envole ensuite pour Paris où elle doit présenter le spectacle sur Brassens au Centre culturel canadien. Grâce à une petite bourse, elle peut s'offrir les services d'une attachée de presse. Résultat, on fait la queue devant le théâtre avant chaque représentation. Un soir, un homme et une femme d'un certain âge insistent pour rencontrer l'interprète après le spectacle. Il s'agit de Jacques Canetti et Joha Heiman, alias Püppchen, l'ancien imprésario et la compagne de Georges Brassens. «Ils avaient adoré le spectacle, se souvient Marc Desjardins. Renée était dans tous ses états.» Renée Claude retournera quelques fois en Europe présenter le spectacle sur Brassens dans les années qui suivront, notamment au Festival de la chanson de Saint-Malo, en 1987, et aux Journées internationales Georges Brassens, à Sète, en 1989.

C'est à ce moment que son ami André Gagnon lui fait part d'un projet qu'il réalise avec l'auteur Michel Tremblay. Le compositeur et le dramaturge sont à créer un opéra autour de la vie d'Émile Nelligan. Le poète a plusieurs fois traversé la vie de Renée Claude qui, sur son quatrième disque, interprète les poèmes *L'idiote aux cloches* et *Le mai d'amour*. Et puis, il y a eu la magnifique chanson *Nelligan* que Gagnon et Plamondon lui ont offerte en 1976. Renée Claude suit avec intérêt les nombreuses étapes de création de ce spectacle qui s'annonce grandiose.

«Dédé et moi sommes partis de la magnifique biographie de Paul Wyczynski, raconte Michel Tremblay, auteur du livret. Comme je voulais des personnages extérieurs à la famille, j'ai choisi quelques jeunes poètes qui faisaient partie de l'entourage de Nelligan et Robertine Barry, dite Françoise.» Amie de la mère d'Émile Nelligan, elle est l'une des premières à reconnaître le génie du jeune poète. Elle contribuera à sa renommée. Lorsqu'ils se rencontrent, Émile Nelligan a 19 ans, et Robertine Barry, 16 de plus. Le poète lui dédie quelques poèmes enflammés.

Originaire de L'Isle-Verte, cette femme devient journaliste en 1891 en signant ses premiers articles dans *La Patrie* sous le pseudonyme de Françoise. Féministe avant l'heure, elle aime raconter fièrement la fois où sa mère, s'étant présentée à l'église avec des crinolines, s'est vu refuser la communion par le prêtre. Vers la fin de sa courte vie (elle est décédée à 46 ans), elle dirige une revue qui porte son nom d'emprunt, *Le Journal de Françoise*.

Avec 15 autres journalistes féminines, elle effectue, à l'été 1904, une traversée du pays. Au cours de ce périple, ces femmes fondent le Canadian Woman's Press Club. Ce voyage est fabuleusement raconté dans l'ouvrage *Elles étaient seize*, de Linda Kay. «Au cimetière Notre-Dame-des-Neiges, où des chênes centenaires ombragent plus d'un million de tombes, aucun monument ni aucune plaque commémorative n'indique l'endroit où elle est enterrée, écrit l'auteure de cet ouvrage. Un coin de pelouse non entretenue, c'est là où repose la première femme journaliste à plein temps du Québec.»

Pour ce personnage riche et inspirant, Michel Tremblay écrit le texte *L'indifférence*, mais il n'a alors aucun nom à l'esprit. «On ne savait pas encore à ce moment-là si ce seraient des chanteurs classiques ou populaires qui allaient interpréter les airs, dit Michel Tremblay. C'est Dédé qui a décidé d'aller finalement vers des chanteurs populaires. »

Tremblay remet le texte à Gagnon. C'est l'illumination. « Dédé m'a tout de suite dit que c'était pour Renée. Il avait en tête une musique et il savait que c'était pour elle. » André Gagnon compose la musique et va rencontrer Renée Claude chez elle pour lui faire entendre la chanson en l'interprétant lui-même. Renée Claude accepte cette proposition qui lui est offerte sur un plateau d'argent. Ce rôle est loin d'être le plus important de cet opéra, mais Renée Claude saura en faire quelque chose d'immense.

« Quelle belle aventure ce fut avec Renée ! dit Louise Forestier. J'ai découvert la comédienne, mais aussi l'être angoissé. C'était même dur à prendre pour les camarades, car c'était contagieux. Je me souviens qu'on avait voulu me mettre dans la même loge qu'elle. Comme Michel Tremblay et André Gagnon devaient avoir chacun une loge, j'ai piqué une crise. Je leur ai fait comprendre que nous devions avoir chacune notre bulle. J'avais un trac fou, et Renée aussi. Cette franchise a toujours été mon *trademark*. J'ai payé pour cela quelques fois... Mais, bref, Renée et moi avons eu notre zone bien à nous et avons pu bien performer. »

Le metteur en scène André Brassard n'a pas été témoin de ces jeux de coulisses. L'interprète qu'il a eue sous les yeux pendant les répétitions et lors des représentations est une artiste disponible. «C'est une femme agréable, plus agréable que toutes celles qui sont agréables. »

Le soir de la première, beaucoup de spectateurs sont renversés par l'interprétation de Renée Claude. «Elle a souvent dit qu'elle n'était pas une interprète flamboyante, mais je ne suis pas tout à fait d'accord avec ça, dit Hélène Pedneault lors de l'hommage rendu par Québecor, en 2008. Lorsque le soir de la première à Montréal est montée dans le Théâtre Maisonneuve la puissance vocale de Renée Claude, il y a 1 500 personne qui sont tombées en bas de leur chaise. »

Si les avis sont partagés quant à l'ensemble de l'œuvre et au choix artistique adopté – des interprètes populaires chantant des airs d'opéra –, le public reconnaît que, dans ce spectacle mis en scène par André Brassard, il a droit à plusieurs moments de grâce. L'air de *L'indifférence* est l'un de ceux-là. «Cette chanson touche les gens, car elle rejoint tout le monde, dit Michel Tremblay. C'est très rare que, dans un couple, les deux partenaires soient exactement au même endroit de leur histoire. C'est ce que raconte cette chanson. »

Sitôt les représentations terminées à Québec, Montréal et Ottawa, l'équipe entre en studio pour graver l'œuvre sur disque. «Renée était en scène au Petit Champlain, raconte André Gagnon. Elle avait un seul après-midi de libre. Elle a pris l'autobus et est venue à Montréal. On a passé deux ou trois heures en studio. Elle est repartie convaincue que ce n'était pas bon, ce qu'elle avait fait. C'était sublime ! Elle a pris un temps à admettre que c'était aussi beau que l'on croyait que c'était. »

L'expérience de *Nelligan* donne le goût à Renée Claude de consacrer plus de temps au théâtre. En 1991, elle accepte la proposition de Marthe Mercure de jouer dans sa pièce *Tu faisais comme un appel*. Cette œuvre aborde la délicate question des abus dont furent victimes les pensionnaires du Mont-Providence, au milieu du XXe siècle. Renée Claude accepte de relever le défi et de se joindre à Sophie Clément, Louise Saint-Pierre et Christiane Raymond. Un chœur de quatre jeunes filles complète la distribution.

L'exercice comporte un défi de taille, car l'auteure a écrit son texte à partir d'entretiens réalisés avec de véritables victimes. Marthe Mercure a respecté en tous points la langue dans laquelle se sont exprimées les femmes rencontrées. Même si un gros trac s'invite dans l'aventure, Renée Claude vit une grande excitation. Les critiques diront qu'elle tire très bien son épingle du jeu.

Au moment où les répétitions de la pièce ont lieu, Christiane, la sœur adorée de Renée Claude, meurt. Ce départ bouleverse la chanteuse. De quatre ans sa cadette, Christiane était plus qu'une sœur. C'était sa plus précieuse confidente, son rempart, son alliée. Cette mort laissera l'aînée inconsolable. « Renée et Christiane ont toujours été très près l'une de l'autre, dit Robert Langevin. Renée n'avait pas de secret pour sa sœur. Elle savait qu'elle pouvait lui faire confiance. »

Après une tournée du spectacle sur Brassens dans la province, dont au Petit Champlain à Québec, en août, et à la Butte St-Jacques à Montréal, en octobre, elle offre ce fabuleux hommage au poète originaire de Sète au Casino de Paris et à Milan à l'occasion du dixième anniversaire de sa mort.

En 1992, Janette Bertrand invite Renée Claude à jouer dans un épisode *d'Avec un grand A*. Intitulé *Ça fait pas partie de la job*, l'épisode porte sur le thème du harcèlement sexuel. Elle joue aux côtés d'Élise Guilbault, Denis Bouchard, Robert Toupin, Rita Bibeau, Lucie Laurier, Sophie Clément, Marie Michaud et Louis de Santis.

André Brassard, qui avait beaucoup aimé son expérience avec Renée Claude lors de l'aventure *Nelligan*, lui propose de prendre part à la création de *Marcel poursuivi par les chiens*, de Michel Tremblay. Dans cette œuvre qui clôture la saison du TNM, en juin 1992, elle campe le rôle de Violette. «Pour cette pièce, j'ai ramené les quatre tricoteuses, Rose, Violette, Mauve et leur mère Florence, raconte Michel Tremblay. Elles sont dans le ciel et elles commentent l'action. Brassard m'avait dit: "Il me faut quatre femmes, fines et belles." On a voulu choisir quatre comédiennes qu'on aimait et avec lesquelles on voulait travailler.»

Le choix s'arrête sur Gisèle Schmidt, Rita Lafontaine, Amulette Garneau et Renée Claude. «Ça a fait un quatuor extraordinaire, dit Michel Tremblay. Renée a hésité un instant, puis a accepté. C'étaient des femmes avec des voix chaudes. » Nathalie Gascon et Robert Brouillette complètent la distribution.

Renée Claude a franchi le cap de la cinquantaine. Elle mord dans ces nouveaux défis. Elle aime tellement ces effets grisants qu'elle cherche à aller plus loin. Comment atteindre les cieux, sinon avec un géant. Déjà, elle devine la force herculéenne de ses mots. Elle sait qu'elle pourra faire un fabuleux voyage avec eux.

Léo et Renée

LA CHANTEUSE BARBARA A DÉJÀ DIT : « DEVANT L'INTOLÉRANCE, devant l'exclusion, devant notre impuissance, c'est vrai qu'il y a des jours où j'ai honte d'exister. Et malgré tout, je chante. » Ces paroles de la dame en noir conviennent parfaitement à Renée Claude qui a toujours puisé dans les chansons le courage d'avancer et de vivre. Elle arrive, grâce à ces mêmes chansons, à faire croire au public que son impuissance peut se muer en autre chose.

Secouée comme tout le monde par les événements qui frappent la planète au début des années 1990, la guerre du Golfe en tête, elle réfléchit à un moyen de prendre la parole. Comment peut-elle y parvenir autrement que par les chansons ? Il lui faut donc une voix forte, une arme redoutable, un auteur fait de béton et de ferveur. Elle trouve tout cela chez Léo Ferré, dont elle a le désir d'embrasser de nouveau l'œuvre.

Ferré ne fut-il pas le premier artiste auquel elle a consacré un tour de chant complet (en compagnie d'Alain Denys) le 28 avril 1962 à la Butte à Mathieu ? N'est-il pas également le seul auteur européen qu'elle a interprété sur son premier disque paru en 1963? Ferré le grave, Ferré l'anticonformiste, Ferré le guerrier, toutes les facettes du créateur des *Anarchistes* inspirent Renée Claude. «Léo Ferré, c'est moi en homme», se plaît-elle à dire.

C'est avec délectation qu'elle plonge en 1993 dans les dizaines et les dizaines de chansons du poète pour faire un choix éclairé. Elle en retient 22. En préparant le spectacle, Renée Claude songe à Brassens, mort une dizaine de jours avant la création de son spectacle *J'ai rendez-vous avec vous*. Elle espère qu'elle ne vivra pas la même chose avec Ferré. Mais l'homme, reconnu pour n'en faire qu'à sa tête, meurt subitement le 14 juillet alors que la chanteuse est en pleine préparation du spectacle.

Renée Claude se demande si elle ne porte pas malheur à ceux dont elle s'empare de l'œuvre. À cet égard, Philippe Noireaut a été témoin d'une conversation pour le moins amusante entre Renée Claude et Gilles Vigneault. «Gilles savait que Brassens et Ferré étaient décédés au moment où Renée préparait un spectacle leur rendant hommage, raconte-t-il. Il lui a dit: "Tu sais, Renée, si jamais tu as envie de faire quelque chose autour de mes chansons, tu peux m'oublier."»

Celui qui dit dans sa chanson *À mon enterrement* qu'il fera «l'amour avec le croque-mort» procure néanmoins à Renée Claude la force d'avancer et d'aller jusqu'au bout pour ce spectacle intitulé *On a marché sur l'amour* et créé au Café de la Place des Arts le 15 septembre. Yvan Ouellet est au piano et aux synthétiseurs. Le soir de la première, l'ambiance est trouble. La mise en scène qui avait été prévue pour le spectacle a sauté au dernier moment. Cela fait augmenter le trac, toujours très fort, chez la chanteuse.

Henri Barras, qui était de l'équipe de direction de la Place des Arts, avait demandé à Olivier Reichenbach d'assurer la direction artistique du spectacle. Quelques jours avant la première, Renée Claude invite quelques personnes qui ont sa confiance à venir voir le résultat. Dans la chanson *La lune*, elle fait tourner un ballon sur son doigt et, pour *Le temps du tango*, elle danse avec une chaise. Et puis, il y a cette boule disco qui apparaît au milieu du spectacle. Le verdict tombe : ces artifices ne se marient absolument pas avec Ferré, encore moins avec son interprète.

« Elle sentait bien que ça n'allait pas, raconte André Ducharme qui était présent à cette répétition. Elle a voulu valider la chose en conviant quelques proches. Le problème avec cette mise en scène, c'est qu'elle obligeait Renée à des mouvements artificiels, à des postures. Renée a toujours été une interprète de peu de gestes et elle n'était pas à l'aise avec la théâtralité que lui proposait Reichenbach. »

Une décision difficile est prise : éliminer les effets de scène pour atteindre une simplicité plus proche de l'auteur-compositeur. Renée Claude assumera entièrement ce choix qui n'est pas sans blesser certaines personnes de son entourage. « Renée a toujours fonctionné comme ça, dit André Ducharme.

Elle écoute les gens, elle prend en compte leurs commentaires, mais à la fin c'est elle, et seulement elle, qui décide. »

Pour celle qui a besoin de laisser mûrir les choses, ce changement de dernière minute n'offre pas les conditions idéales pour la mise à l'eau du spectacle. Le public le sent. Les critiques aussi. Ils ne seront pas tendres à son égard. *Fan* depuis la première heure, Sylvain Cormier, du *Devoir*, tente tant bien que mal de trouver les raisons de ce dérapage. « Est-ce Ferré ou le public ? » se demande-t-il avant de lâcher : « Les chansons les plus légères, il faut l'avouer, n'étaient pas les mieux rendues. Les colériques non plus. Venant de Renée Claude, malgré tout son art et toute sa bonne volonté, la rage et la gaieté ne passaient pas. » Sa consœur de *La Presse*, Marie-Christine Blais, n'y met pas plus d'entrain. « Mais ni la colère ni l'emportement de Ferré n'étaient vraiment au rendez-vous. Pourquoi ? » s'interroge-t-elle.

Renée Claude est certes heurtée par ces critiques. Mais la travailleuse et la perfectionniste qu'elle est n'a pas dit son dernier mot. Elle prendra du recul par rapport à ce spectacle né dans le chaos. Elle profite d'une série de représentations au Petit Champlain, à Québec, en octobre, pour travailler sur une seule chose, cette chose qui fait que le public vient et viendra voir le spectacle : son interprétation.

Renée Claude a une bataille à gagner. Elle sait que cela fait partie de son métier, de sa nature. Déjà, au début de sa carrière, à une journaliste de *TV Hebdo* qui se demande pourquoi elle va chanter en Ontario devant un public qui ne la connaît pas, elle répond : « Moi, j'aime ça me battre. L'important, c'est que je gagne la partie. Ici, à Montréal et dans la province, la partie est gagnée à l'avance quand je commence à chanter. Il est bon, de temps en temps, de faire face à un public difficile, celui qui ne vous connaît pas encore, qui est venu pour entendre quelque chose de nouveau, qui ne sera peut-être pas ce qu'il attendait. »

Après la série de représentations à Québec, Yvan Ouellet et elle conviennent d'une séparation professionnelle. L'arrivée du pianiste Philippe Noireaut procure un nouveau souffle à cette aventure qui n'en est qu'à ses débuts. Le musicien et interprète d'origine française, qui avait lui-même déjà présenté un spectacle composé de chansons de Ferré, rêve de travailler avec Renée Claude depuis qu'il vit au Québec.

« Je suis débarqué à Montréal en 1982, raconte-t-il avec émotion. J'habitais sur la rue Laval. Quelqu'un m'avait fait cadeau d'une cassette sur laquelle il y avait plein de trucs, entre autres la pièce *Nelligan* d'André Gagnon et la chanson *Je suis une femme* de Renée. J'écoutais cette voix sur mon *walkman* en marchant dans le square Saint-Louis et je me demandais : "Mais qui est cette fille ?" Je suis tombé en amour avec cette voix comme on tombe amoureux de quelqu'un en regardant sa photo. »

À l'automne 1993, Renée Claude prend contact avec Philippe Noireaut. Elle l'invite chez elle, avenue Lajoie, pour une audition. « Pour l'accompagner sur scène, je me serais fait couper un bras », dit-il. Le duo essaie quelques chansons et en vient rapidement à la conclusion que le spectacle et le disque qui sera enregistré au début de 1994 doivent graviter autour d'un concept piano-voix.

Le spectacle *On a marché sur l'amour* est repris à La Licorne en septembre 1994. Cette fois, le succès est au rendez-vous. Au même moment paraît un disque double rassemblant les chansons du spectacle. Les sessions d'enregistrement se font dans le bonheur. « Renée et Philippe sont arrivés tellement préparés que le disque s'est fait en un temps record, dit Richard Bélanger qui signe la réalisation de ce projet. C'est un album qui a été fait dans la félicité. » Philippe Noireaut a le même souvenir. « On était tellement prêts que c'étaient presque des *one take*. Les gens en studio capotaient. En une semaine et demie, on a fait les 25 chansons. »

Marie-Christine Blais, qui a besoin de « tout son petit change » pour rencontrer Renée Claude après sa critique miti-gée du spectacle, lui dit tout le bien qu'elle pense du disque. « J'ai toutes les misères du monde à écouter autre chose que ces deux rondelles de plastique métallisé sur lesquelles il y a quelque chose qui touche au sublime », écrit la journaliste de *La Presse*. Un an après sa création, le spectacle est acclamé par le public et la critique. Quant au disque, il suscite les louanges. « Ça, c'est le bénéfice de la travailleuse, dit Philippe Noireaut. Elle voulait tellement remettre ce projet sur les rails ! »

L'aventure de Ferré scelle un cycle de trois « spectacles-hommages » qui révèle sans nul doute la véritable nature de Renée Claude. À Sylvain Cormier, critique musical du *Devoir*, elle confie : « J'ai été gâtée par Stéphane Venne et Luc Plamondon, mais l'image qu'ils donnaient de moi dans leurs textes se limitait au côté doux, tendre, à cette image de chanteuse un peu romantique. Ce n'était pas faux, mais il y a d'autres facettes. Je suis une colérique refoulée. Je veux tellement que ça soit harmonieux autour de moi que je retiens mes colères. »

Insatisfaite de l'enregistrement *Renée Claude chante Brassens* réalisé en 1983, elle propose de refaire les chansons du spectacle et de leur offrir des arrangements différents. Elle s'associe au producteur Normand Paquette, qui vient de créer l'étiquette Transit. Michel Robidoux est recruté pour faire la direction artistique. « On n'avait pas un gros budget et sans doute que, pour gagner du temps, les réalisateurs avaient pris les devants sans trop consulter Renée, raconte Normand Paquette. Elle n'était pas contente des premiers mixages. Elle m'a fait venir chez elle pour m'en parler. Je crois qu'elle avait besoin d'un ange gardien. J'ai demandé à ce que l'on refasse tous les mixages. Je suis resté avec elle en studio dans les jours qui ont suivi, et tout s'est bien passé avec le reste de l'équipe. »

Au printemps 1996, alors qu'il se prélasse chez lui un samedi matin, Normand Paquette reçoit un appel de France qui le jette à la renverse. « Le disque *On a marché sur l'amour* était distribué en France par Scalen' Disc, raconte-t-il. Le directeur avait pris l'initiative de soumettre l'album à l'Académie Charles Cros en vue des prix qu'elle décerne chaque année. Il m'appelle donc très tôt ce matin-là et me dit: "Normand, on a le prix!"» Normand Paquette téléphone immédiatement à Renée Claude pour lui annoncer la nouvelle. Celle-ci n'en revient pas. «L'annonce a été faite plus tard sur tous les fils de presse», se souvient Normand Paquette.

Le prix de l'Académie Charles Cros, qui est à la musique ce que le Goncourt est à la littérature, a déjà été attribué à plusieurs grands noms de la chanson française, dont Yves Montand, Charles Trenet et Georges Brassens. Le choix de ce disque en étonne plus d'un. «Ce n'était pas gagné pour elle, dit Philippe Noireaut. C'est quand même le disque piano-voix d'une Québécoise qui reprend les chansons d'un géant français.» C'est donc avec une immense fierté que Renée Claude se rend à Paris en avril pour recevoir le prestigieux prix.

Critique au quotidien *Libération*, Hélène Hazera profite de l'occasion pour écrire, dans un article intitulé «Reine Claude», des choses fort senties sur cette chanteuse qu'elle admire plus que tout. «Il faut dire que ses interprétations apportent vraiment un plus. La vibration particulière de cette voix fine et cristalline, son sens musical défend autant le musicien Ferré que l'auteur. Si elle a le sens de la dramaturgie, tant dans l'intelligence du texte que dans l'épure de sa tenue de scène (un côté sculpture gothique), on apprécie chez elle une autre qualité qui en fait une interprète rare: la retenue.»

Après la réception du prix, Renée Claude demeure en Europe pour faire une tournée en France, en Suisse et en Italie afin de présenter le spectacle Ferré. À Paris, elle retrouve l'ambiance de ses débuts en tenant l'affiche du Loup du Faubourg, une minuscule boîte remplie tous les soirs d'un «vrai public» qui pousse de «vrais bravos» et réclament «de vrais rappels», comme le soulignera Michel Dolbec, de *La Presse Canadienne*. Normand Paquette assiste à l'une des représentations. «Je n'oublierai jamais l'image d'une spectatrice qui s'est levée à la fin du spectacle pour ovationner Renée. Sur ses joues coulaient de grosses larmes.»

Le quotidien *Le Monde* se montre élogieux. «Ce récital débarrasse les textes de Léo Ferré de leurs fanfreluches, pour n'en garder que l'essence, par une manière carrée de chanter qu'avaient déjà expérimentée Catherine Sauvage et Juliette Gréco.» Le journal *Libération* en ajoute une couche. «Quand tant de ses compatriotes usent de leur organe comme d'une corne de brume dans la tempête, elle n'abuse jamais, tout en sachant se montrer véhémente à l'occasion.»

Tous ceux qui ont suivi de près la carrière de Renée Claude s'accordent pour dire que le spectacle et le disque autour de Ferré sont un sommet dans son parcours artistique. Jamais elle n'aurait pu arriver à une telle maîtrise si elle avait fait ce spectacle plus tôt. Mais à plus de 55 ans, alors que plusieurs de ses camarades ont accroché leurs patins, Renée Claude atteint un autre sommet. «Pour s'attaquer au répertoire de Ferré en formule piano-voix, ça prend une énorme volonté, dit Monique Giroux. Ou de la candeur. Ou un mélange des deux. Elle s'est imposée doucement, mais fermement, en faisant cela. »

Lors de cette tournée européenne, Marie-Christine Ferré, la dernière compagne du poète, va voir le spectacle à Pully, en Suisse. Elle connaissait déjà le disque. En voyant Renée Claude sur scène, elle tombe littéralement à la renverse. En pleurs, à la fin du spectacle, elle a dit à l'interprète : «Demandez-moi tout ce que vous voulez », se souvient Robert Langevin.

Elle propose à la chanteuse et à son pianiste de les retrouver en Italie. «Il s'est alors passé quelque chose de très drôle, raconte Philippe Noireaut. Renée était méticuleuse au niveau des lumières, et la communication avec le technicien italien était laborieuse. Marie-Christine Ferré s'est alors mis en tête de nous aider. Comme ma blonde connaissait les *cue* d'éclairage, on a convenu que ma blonde les donnerait à Marie, et que Marie allait ensuite traduire la commande au technicien italien. Mais lors du spectacle, les *cue* venaient trop tard au technicien... Bref, Renée n'était jamais dans le *spot* d'éclairage. Et sachant qu'elle n'aime pas trop improviser... C'était hilarant ! »

L'aventure Ferré se poursuit plus tard avec une tournée en Serbie qui survient après une montée de tension avec le Kosovo. Les conditions sont difficiles pour Renée Claude et Philippe Noireaut. Les lieux sont équipés d'un piano en très mauvais état. C'est là que le musicien découvre l'étendue de la patience de Renée Claude. «On est arrivés dans un théâtre avec un piano droit complètement pourri, dit-il. La loge de Renée avait des carreaux cassés, le vent s'engouffrait. Une autre chanteuse qu'elle, rendue à cette étape de sa carrière, aurait sans doute piqué une crise. Renée commençait à être tannée, mais elle avait une résilience à vivre des situations difficiles.»

Ce caractère conciliant, d'autres en sont témoins. «Je pourrais vous raconter pendant des heures et des heures des anecdotes de tournées avec des vedettes, comme Johnny Hallyday, dit son ancien agent Pierre David. Mais sur Renée, je n'ai rien à dire. Ce n'était jamais compliqué avec elle.» François Dompierre, qui l'a souvent accompagnée, dit qu'elle était toutefois intraitable sur deux choses : l'accord du piano et l'acoustique de la salle. Pour certains, cela pouvait passer pour des caprices. Mais pour elle, c'était nettement une question de respect du public. «Elle avait besoin d'être rassurée là-dessus. Et elle avait raison.»

Le 11 janvier 1998, le père de Renée Claude s'éteint à 84 ans. Celui qui joua un rôle capital au moment où sa fille fit ses premiers pas dans le monde du spectacle, qui préférait les silences au bavardage inutile, qui avait transmis à son aînée plusieurs traits de son caractère, laisse un grand vide dans la famille Bélanger après sa mort. Sa chère Cécile lui survivra plusieurs années. L'effervescente femme qui n'aimait pas l'ennui décédera en 2016 à l'âge vénérable de 102 ans.

Le destin de Renée Claude croise de nouveau celui de Michel Tremblay lorsque, en 1998, Denise Filiatrault lui propose de jouer dans le film *C't'à ton tour, Laura Cadieux*. Il s'agit d'un rôle presque entièrement silencieux où elle campe Mme Touchette, une femme mystérieuse que les autres personnages du film croisent dans la salle d'attente du médecin, le lieu commun à la fois drôle et dramatique de cette histoire.

Cette même année, elle lance une compilation de ses meilleures chansons. Le projet de *C'était le début d'un temps nouveau* est semé d'embûches, car Normand Paquette et Renée Claude ont toutes les misères du monde à récupérer les bandes sonores des chansons enregistrées durant les années Barclay. Un producteur les détient, et leur rapatriement passe par une négociation ardue. « J'ai réussi à racheter quelques bandes, dit Normand Paquette. Pour le reste, on a dû travailler à partir des disques en vinyle. C'est Renée qui a fait le choix des 34 titres. » Sur ce disque, on trouve notamment les grandes chansons de l'époque Stéphane Venne, celles enregistrées entre 1968 et 1971.

L'heure semble être au bilan et à la nostalgie, car cette compilation suit de près la parution des quatre premiers disques enregistrés chez Select en format CD. Cette idée est de Monique Giroux et Martine Jessop qui, grâce aux Disques Fonovox, dirigent la collection Les refrains d'abord. « Il était impossible de trouver les chansons de cette époque sur CD, dit Monique Giroux. Je me souviens qu'elle se demandait si cela allait intéresser les gens. »

Plus tard, en 2006, il y aura la compilation *Entre la terre et le soleil* (titre tiré de la chanson *J'étais partie pour ne plus revenir*). Cet album regroupe les chansons écrites par Luc Plamondon que l'on retrouve sur les disques *Je reprends mon souffle, Ce soir je fais l'amour avec toi, L'enamour Le désamour, Je suis une femme*, de même que des enregistrements parus sur divers 45 tours entre 1971 et 1990.

Renée Claude demande à Luc Plamondon d'écrire un mot de présentation. Il fait mieux. Il lui écrit une nouvelle et ultime chanson que leur ami André Gagnon met en musique. *Ballade pour mes vieux jours* est une ode à tous les hommes qu'elle a aimés. Gagnon imagine une mélodie qui sied à sa voix devenue plus grave, encore plus chaude. «Pour mes vieux jours mes amours/Je vous voudrais tout autour/Tous autour tout autour/Tout autour de moi», lui fait chanter Plamondon. Trente-six années séparent cette chanson de *J'ai besoin d'un grand amour*, créée en 1970 par ces 3 grands amis.

Au milieu des années 2000, Renée Claude peut compter sur «ses vieux amis» pour chanter dans divers événements spéciaux. Quelques-uns pensent à elle lorsqu'ils réalisent un projet. C'est le cas de Pierre Létourneau qui l'invite, en compagnie de Claude Gauthier, à venir interpréter *J'aimerais bien qu'on te chante* sur son disque *Heures de pointe*. Le temps d'une chanson, les trois anciens complices des boîtes à chansons se retrouvent pour rendre hommage à quelques géants.

Lorsqu'en 2001 Diane Dufresne concevra un spectacle à la demande des FrancoFolies de Montréal, elle aura la merveilleuse idée de réunir autour d'elle Juliette Gréco, Isabelle Boulay, France D'Amour et Renée Claude. Cette dernière emprunte à son amie interprète, devenue auteure, *Cendrillon au coton*. Cette chanson, qui lui va comme un gant, fait l'objet d'une interprétation grandiose.

L'année suivante, elle prend part à un spectacle-hommage à l'auteur-compositeur français Pierre Barouh en compagnie de Bïa, Dorothée Berryman, Micheline Scott et Pierre Lapointe. L'événement est enregistré par la radio de Radio-Canada au Théâtre du Musée canadien des civilisations, à Gatineau. Le concepteur Richard Massicotte lui offre deux joyaux: *Vivre pour vivre* et *Des ronds dans l'eau*. Puis, en 2003, pour le spectacle *Les Divas du Québec*, produit par Nicolas Lemieux, elle chante des extraits du *Début d'un temps nouveau*, *Viens faire un tour chez moi* et *Tu trouveras la paix*.

Entre ces invitations, elle continue de présenter ses spectacles en hommage à Clémence, Brassens ou Ferré, selon la demande. Et selon l'énergie. Ses moments d'insomnie sont de plus en plus difficiles à combattre. Avec ses amis, elle partage sa hantise de devenir malade comme son ami Claude Léveillée. Cette peur terrible de la maladie, elle l'a depuis longtemps. Déjà, dans la trentaine, elle communiquait cette crainte. Cette inquiétude cause maintenant chez elle des crises de panique. Elle reconnaît chez elle ce qui semble être des symptômes de la fibromyalgie.

En 2008, au journaliste Jean-Christophe Laurence, de *La Presse*, elle fait part de son état. «Aujourd'hui, je ne peux même pas balayer ou me maquiller sans être vidée. Je ne peux plus recevoir trois ou quatre amis et faire le repas sans avoir peur de devoir aller me coucher. Et plus je me fatigue, plus ça fait mal.» Elle confie toutefois qu'il lui serait impossible de se passer de la scène. «Arrêter mon métier est impensable, ajoute-t-elle. À la longue, je pense que je deviendrais déprimée.»

Malgré ses ennuis de santé, elle continue de chanter. Il lui arrive parfois d'avoir de petits trous de mémoire. Elle met cela sur le compte de la fatigue. François Dubé se souvient d'un moment qui fut particulièrement difficile pour celle qui a toujours visé la quasi-perfection. «Pendant le spectacle Brassens, je me retirais en coulisses et elle faisait seule au piano *Maman, papa*. Nous étions au Petit Champlain, elle fait l'intro de la chanson au piano, elle chante *Maman... papa...* Et elle se fige. Elle se reprend... Même chose. Des spectateurs lui ont alors soufflé les paroles. Elle a pu poursuivre la chanson.»

À partir de ce spectacle, l'angoisse s'installe. Que se passe-t-il? Pourquoi vit-elle des instants, des secondes d'éternité qui lui donnent l'impression de plonger dans le vide? Pourquoi a-t-elle l'impression qu'une force lui retire brusquement sa mémoire avant de la lui restituer? Elle trouvera la réponse, l'abominable réponse, à ces questions.

Ces mots qui ne viennent plus

LES HOMMAGES ET LES DISTINCTIONS ONT RAREMENT ÉTÉ offerts à Renée Claude. Cette pionnière de la chanson québécoise a dû attendre d'être quasi septuagénaire avant que l'on reconnaisse sa contribution à la culture québécoise. La première grande manifestation vient de Québecor qui, lors de sa soirée-hommage annuelle, en 2008, souligne en grande pompe le talent et l'apport de l'artiste. Le soir du 7 mai, de nombreux invités prestigieux sont réunis au Chalet de la Montagne.

Dans une vidéo très touchante, ses amis et ses proches collaborateurs lui rendent un hommage bien senti. Stéphane Venne, Luc Plamondon, André Gagnon, Clémence DesRochers, Hélène Pedneault et Robert Langevin choisissent minutieusement leurs mots pour dire leur amour à Renée Claude. «Depuis la première fois que je t'ai vue apparaître dans ta robe rouge décolletée à la Butte à Mathieu, je suis éblouie par ta présence, dit avec émotion Diane Dufresne. Ta beauté, ta grâce et ta féminité si naturelle sont exemplaires. Tu es exceptionnelle!»

33. Souverainiste convaincue, Renée Claude a participé à plusieurs rassemblements du PQ. On lui demandait alors d'interpréter *Le début d'un temps nouveau*, une chanson qu'affectionnait particulièrement René Lévesque.

34. Renée Claude entourée de l'équipe de *Je reprends mon souffle* devant le studio où le disque fut enregistré à l'été 1972 : Luc Plamondon, Robert Stanley, Bill Gagnon, Denis Farmer, Leon Aronson, Michel Robidoux et Michel Séguin.

35. Renée Claude avec ses boys du disque *Je reprends mon souffle* : Michel Robidoux, Luc Plamondon et Bill Gagnon.

36. Avec Luc Plamondon et les musiciens du Ville Émard Blues Band, Renée Claude enregistre en 1973 *Ce soir je fais l'amour avec toi*. Outre cet énorme tube, le disque contient *Un gars comme toi* et *Le monde est fou*.

37. Dans une robe-nuisette qui fait tourner les têtes, Renée Claude présente en octobre 1974 à la Place des Arts les chansons du disque *Je suis une femme*.

38. Les changements de look et de coiffure de Renée Claude ont toujours été scrutés par le public. La voici arborant un style bouclé.

39. À l'aube de la quarantaine, Renée Claude donne un coup de barre à sa carrière. Ce sera le début d'un cycle de trois spectacles-hommages.

40. À partir de 1980, et pendant de nombreuses années, Renée Claude a présenté le spectacle *Moi c'est Clémence que j'aime le mieux!*, en référence à son amie Clémence DesRochers.

41. Le début des années 1980 est marqué par la production d'un disque avec Marc Desjardins. Elle adopte un look au goût du jour.

42. Pendant trois décennies, Renée Claude a offert avec son immense talent d'interprète les chansons de Clémence DesRochers, Georges Brassens et Léo Ferré.

43. À 70 ans, Renée Claude est une artiste accomplie dont la carrière fut couronnée du prestigieux prix de l'Académie Charles Cros, reçu en 1996.

44. Renée Claude en compagnie de sa mère. Curieuse de tout, Cécile Bélanger est décédée à 102 ans, en avril 2016.

45. Lors de la première montréalaise du film *Subway*, de Luc Besson, avec son grand ami, le journaliste et auteur André Ducharme.

46. Renée Claude et Luc Plamondon au Mexique au début des années 1970. Les deux amis partagent le goût du voyage. Et de l'oisiveté.

47. Michel Tremblay a écrit la chanson *Salut* pour Renée Claude. Il lui a aussi offert *L'indifférence*, qui fait partie de l'opéra romantique *Nelligan*.

48. Renée Claude lors d'une tournée du spectacle en hommage à Léo Ferré, en compagnie du fils du monstre sacré, Mathieu, et du pianiste Philippe Noireaut.

49. Renée Claude et François Dubé, son fidèle pianiste des spectacles en hommage à Clémence et à Brassens. La photo a été prise aux Îles-de-la-Madeleine la veille du cinquantième anniversaire de la chanteuse.

50. Clémence DesRochers et Renée Claude ont mis de côté leur projet de «faire un jardin» et célèbrent plutôt leur amitié autour d'un verre de vin.

51. Renée Claude avec sa mère, Cécile, ainsi que sa sœur Violette et ses frères Richard, Michel et Normand.

52. Robert Langevin et Renée Claude se sont connus en 1986. Cette belle histoire d'amour a un jour été transportée dans la ville la plus romantique qui soit, Venise.

53. «J'ai aimé cette femme dès le premier jour», dit Robert Langevin, le compagnon de Renée Claude des 35 dernières années.

Cet hommage de Québecor, qui sera suivi en 2010 de l'Ordre du Canada, est accompagné d'un trophée, une œuvre du sculpteur Armand Vaillancourt, et d'une bourse de 50 000 $. Ce montant d'argent arrive à point pour Renée Claude, car celle qui a toujours bien gagné sa vie ne roule pas sur l'or.

Il serait facile d'imaginer qu'après autant d'années fastueuses la chanteuse a amassé une fortune considérable. Or, ce n'est pas du tout le cas. « Elle avait beaucoup travaillé, mais quand je l'ai rencontrée elle sortait d'une période creuse de huit ans, raconte Robert Langevin. Elle avait donc brûlé une partie de ses économies. Elle m'a dit qu'on la réclamait partout quand elle était à son apogée à la fin des années 1960, mais très souvent pour des pinottes. »

Les grandes années de gloire de Renée Claude ont eu lieu entre 1968 et 1973, une période où les cachets n'étaient pas élevés. À partir des années 1980, qui marquent le cycle des spectacles-hommages, si les engagements furent nombreux, ils avaient lieu la plupart du temps dans de petites salles. « Je ne crois pas que Renée ait fait plus de 100 000 $ dans une année, reprend André Ducharme. Combien d'années à 15 000 $ ou 20 000 $ a-t-elle connues ? Et malgré cela, quand on l'appelait pour venir chanter gratuitement ou pour un minuscule cachet dans un spectacle-bénéfice pour soutenir telle ou telle cause, elle disait oui. Les gens pensaient que, parce qu'elle portait de belles robes, elle était riche. Elle avait de belles robes parce qu'elle avait du goût. Mais ces belles robes-là, elle les rentabilisait en les portant plusieurs fois. »

Malgré les rentrées d'argent en montagnes russes, Renée Claude a toujours su bien gérer ses affaires. Dans l'entrevue publiée dans le magazine *Maclean* en 1965, alors qu'elle a 25 ans, elle démontre une forme de sagesse en matière de finances personnelles. Elle parle des fonds mutuels, ce « moyen d'avant-garde pour amasser de l'argent », vers lesquels des amis lui ont conseillé d'aller. « J'ai bien gagné ma vie, mais je n'ai pas fait beaucoup d'argent, dira-t-elle des années plus tard. Cet argent a servi à m'offrir du confort. Cela veut dire deux vacances dans le Sud par année, des visites chez l'esthéticienne, des vêtements... Je prends des taxis, car je ne conduis pas. Mais ça n'allait pas plus loin que ça. »

L'autre luxe qu'aime s'offrir la chanteuse est le plaisir de gâter ceux qu'elle aime. Elle adore faire des cadeaux à ses amis et aux membres de sa famille. L'un de ses bonheurs dans la vie est de repérer ces objets dans les magasins. « Quand elle a commencé à gagner des sous, elle gâtait nos parents, relate sa sœur Christiane dans *Avis de recherche*. Elle leur offrait ces cadeaux en signant le nom de tous les enfants. » De son côté, son frère Richard garde un merveilleux souvenir de la guitare offerte par sa grande sœur lorsqu'il avait 14 ans.

La relation qu'a toujours entretenue Renée Claude avec l'argent se résumait à ceci : ne dépense pas ce que tu n'as pas et rembourse ce que tu dois. Quand elle assurera pleinement la gestion de ses propres affaires, elle se fera un devoir de payer rubis sur l'ongle ses précieux collaborateurs. Le pianiste François Dubé se souvient d'un spectacle où un producteur malhonnête avait refusé de verser un cachet à Renée Claude.

« Il lui a dit qu'il enverrait un chèque par la poste, raconte le musicien. Comme on avait déjà fait un spectacle pour lui et qu'il avait payé, Renée a accepté. Mais elle n'a rien reçu au bout du compte. Malgré cela, elle a tenu à me payer. Je lui ai dit qu'on allait assumer ça tous les deux. Elle n'a jamais voulu. Elle m'a dit : "Tu as travaillé. C'est moi qui suis responsable de cela." »

La bourse que lui remet Québecor lui permet de mettre certaines inquiétudes de côté. Elle en a besoin, car, dès le lendemain de cette fête, elle met toute son énergie dans un difficile combat qu'elle doit mener. En effet, elle doit subir une intervention chirurgicale et amorcer une série de traitements de radiothérapie pour combattre un cancer du sein. Tout se déroule bien et, quelques mois plus tard, la chanteuse peut prendre ses distances par rapport à ce terrible fléau.

Elle a toutefois du mal à retrouver son énergie. La fatigue pèse de plus en plus sur Renée Claude. Tant d'années d'insécurité, de travail acharné pour atteindre la perfection, de lutte contre le stress et de nuits d'insomnie l'accablent. « Lorsque Renée a atteint la soixantaine, j'ai compris qu'elle était usée par la vie et ses combats et qu'il fallait que je m'occupe davantage de tous les détails de son existence, explique son amoureux. L'énergie lui manquait. Elle gérait bien sa carrière, mais, pour le reste, je devais tout assurer.»

Dans le but de procurer un certain regain à celle avec qui il désire se fiancer, Robert Langevin emmène son amoureuse en voyage en Italie, à l'été 2011. «On voulait célébrer nos 25 ans de vie commune, raconte-t-il. J'avais acheté une bague. Mais Renée était épuisée. Elle était comme une morte vivante. Je l'ai trimbalée à travers Venise et la Toscane en fauteuil roulant. Je visitais des trucs le jour et je venais la chercher vers 16 heures de l'après-midi. On se faisait un petit musée et on allait souper.»

Et puis, il y a ces foutus trous de mémoire qui deviennent de plus en plus fréquents. Ils sont particulièrement obsédants lors des spectacles. «Un soir, elle a eu trois trous de mémoire, dit Robert Langevin. C'était plus que la normale. On a décidé que j'allais jouer au souffleur en coulisses. Finalement, ce n'était pas une bonne idée. Son pianiste Philippe Noireaut était plus rapide que moi pour rattraper les choses.»

Elle offre ses derniers spectacles au cours de l'année 2012. Après cela, elle ne fait que des apparitions ou des prestations qui exigent l'interprétation d'une ou deux chansons. Dans le documentaire *Un cœur apaisé*, diffusé en 2013, elle parvient à décrire ce qu'elle ressent et vit. «C'est un trou... Le mot ne vient pas! Avant, j'aurais dit quelque chose. J'aurais peut-être eu une hésitation, comme tout le monde, mais pas comme ça. Ça a commencé il y a 10 ans, quand j'ai fait de la fibromyalgie.

Il y a eu les premiers signes... Je me disais que c'était encore vivable même si je m'en plaignais. Mais là, l'année passée... ça a chuté. Ça me fait très peur. »

Sur les conseils de Robert Langevin, elle consulte un spécialiste d'un hôpital montréalais. Ce dernier lui propose de prendre part à un projet d'études cliniques. « Elle a subi une tonne de tests et répondu à de nombreux questionnaires », dit Robert Langevin.

En mai 2013, après un an et demi de tests, le diagnostic tombe. L'annonce se fait de façon étrange. « Le médecin ne le lui a pas dit directement, raconte Robert Langevin. Il a parlé de résultats de résonance magnétique qui testent la présence de la protéine amyloïde. Il lui a dit qu'il voyait beaucoup de taches rouges sur les images... Moi, je comprenais ce qu'il voulait dire. Il a sorti de son tiroir une boîte de pilules en disant que cela pouvait retarder les symptômes. Il nous a fait comprendre qu'il devait voir un autre patient. Renée était désemparée. Devant la porte, elle a demandé : "Est-ce que j'ai la maladie d'Alzheimer ?" Il a répondu : "Il y a de fortes chances."»

Le choc est énorme. Tout se bouscule dans la tête de Renée et de Robert. Ils se rendent à la voiture. « Renée pouvait rarement se mettre dans des états de colère, dit Robert Langevin. Quand elle disait un gros mot, c'était beaucoup pour elle. Dans la voiture, elle a éclaté. Une litanie de jurons est sortie de sa bouche. "Crisse de tabarnak d'ostie de câlisse !" Elle était en colère, tellement en colère ! Je lui ai dit qu'on allait rentrer doucement à la maison et qu'on allait s'ouvrir une bouteille de champagne pour conjurer le sort. »

Au cours de l'été qui suit, Renée Claude fait part à certains de ses proches de son état. Certains refusent de la croire. D'autres prennent leurs distances. Au bout du compte, quelques rares amis et membres de la famille l'épauleront et l'accompagneront dans l'impitoyable progression de cette maladie.

Le 3 juillet 2014, à l'occasion de son soixante-quinzième anniversaire, son ami Luc Plamondon l'invite au restaurant. Il choisit un endroit où tous les deux seront tranquilles. « Son conjoint Robert était inquiet, raconte Plamondon. Il savait qu'elle avait du mal à trouver les mots. Renée est arrivée, belle, comme toujours, habillée de noir, comme toujours. Au cours du repas, elle me dit : "Qui aurait dit que j'allais finir comme ça. Ma mère a 100 ans. Elle vit avec ma sœur. Moi, je m'attendais à vivre la même chose. Et ce n'est pas ça qui m'arrive." Je n'arrivais plus à parler. J'ai fondu en larmes. »

Le 7 novembre 2015, l'équipe d'*En direct de l'univers* invite Renée Claude à venir chanter. La comédienne Catherine Proulx-Lemay souhaite très fort que son idole vienne interpréter *Avec le temps*. Cette performance fait l'objet d'une discussion entre Renée Claude, Robert Langevin et Philippe Noireaut. Ils conviennent d'y aller, mais à certaines conditions. « J'ai exigé que le segment soit préenregistré, dit Philippe

Noireaut qui l'accompagne au piano pour l'occasion. J'ai aussi dit qu'il ne devait y avoir que deux *takes*, pas plus. Et surtout, que l'on fasse la chanson au complet. On ne coupe pas *Avec le temps*. »

L'entourage immédiat de Renée Claude est au courant de la progression de sa maladie, mais pas le public. « J'ai dit à Renée que ça serait une sorte de *coming out* pour le public, dit Philippe Noireaut. Ça lui a demandé un ostie de courage pour faire cela. » Le jour de l'enregistrement, Renée Claude se présente au studio accompagnée de Robert Langevin et de Philippe Noireaut.

« On a fait sortir tout le monde du studio et on n'a gardé que ceux qui étaient essentiels, se souvient l'animatrice et productrice de l'émission France Beaudoin. Renée était nerveuse, mais elle était bien. Elle a fait une prise d'un bout à l'autre sans se tromper. Nous étions tous suspendus à elle. Ce fut un véritable moment de grâce. Après l'interprétation, tous ceux qui étaient présents en studio avaient les yeux pleins d'eau. On savait que ce serait sa dernière apparition à la télé. »

Lorsque la mère de Renée Claude décède le 1er avril 2016, on demande à Renée Claude de chanter *Berceuse pour mon père et ma mère* à l'église. « Ça la stressait beaucoup, dit Mouffe. J'ai proposé que l'on fasse entendre la version du disque. Ça l'a soulagée. » La même année, Robert Langevin prend sa retraite. Il peut enfin s'occuper de sa Tinée à plein temps.

Durant l'été, André Ducharme invite Renée et Robert à la maison de campagne qu'il a louée à Mansonville, dans les Cantons-de-l'Est. Un épisode bouleversant lui fait prendre conscience de la progression rapide de la maladie qui frappe son amie. « J'avais trouvé sur le Web une vieille émission de télé française où la chanteuse Cora Vaucaire accueillait Renée. Elle chantait une chanson de Stéphane Venne et François Dompierre tirée d'*Il y eut un jour*. Ça veut donc dire que l'émission datait de 1966. On regarde la performance de Renée sur ma tablette quand, tout à coup, elle me regarde et dit : "Mais qui est cette chanteuse ?" Cet instant est d'autant plus bouleversant lorsqu'on apprend qu'il s'agissait de la chanson *De mémoire*. »

À l'été 2015, Clémence DesRochers, présente à la première du spectacle que Gregory Charles et plusieurs artistes offrent en hommage à Luc Plamondon, aperçoit Renée Claude. « J'ai couru vers elle pour l'embrasser et je l'ai entendue me dire à l'oreille : "Clémence, je t'aime d'amour."» Quand elle repense à ce moment, quand elle réalise le poids de ces mots, Clémence DesRochers est bouleversée.

Renée Claude est consciente du vide qui est sous ses pieds. Elle saisit chaque occasion où elle se sent en contrôle pour témoigner son affection à ceux qu'elle aime. L'absence de certains amis lui brise le cœur. Robert Langevin a du mal à comprendre la distance que prennent certains des proches de sa Renée.

En novembre 2017, alors que les premières neiges tombent sur Montréal, Robert prend la difficile et douloureuse décision d'installer sa compagne dans une résidence. Il choisit un endroit non loin de leur demeure afin de pouvoir lui rendre visite tous les jours. De temps en temps, il emmène son amoureuse à la maison. Pour son anniversaire, le 3 juillet, il organise une petite fête en compagnie de quelques amis et de ses frères.

Depuis l'épisode d'*En direct de l'univers*, le bruit court que Renée Claude souffre d'Alzheimer. Un article de Jean-François Brassard, publié en février 2019 dans *Échos Vedettes*, vient confirmer la chose. En entrevue avec le journaliste, Robert Langevin parle de la maladie qui afflige sa compagne. La nouvelle sème une onde de choc partout au Québec. Sur la page Facebook que Richard Gervais a créée en son honneur, les messages de sympathie affluent.

Comme des milliers d'admirateurs, le producteur Nicolas Lemieux est bouleversé d'apprendre la triste nouvelle. Il est immédiatement gagné par le désir de faire quelque chose afin de rappeler à la mémoire du public cette grande artiste de la chanson québécoise. Il téléphone à Monique Giroux. « Il m'a appelée un dimanche à 22 h 30, dit cette dernière. Il m'a parlé de son idée de reprendre la chanson *Tu trouveras la paix* pour rendre hommage à Renée. Il a énuméré les noms qu'il avait en tête. J'ai alors imaginé un groupe de chanteuses qui parleraient à Renée. »

Le lendemain, le tandem se met au travail. En quelques heures, le projet se précise. Toutes les chanteuses qui sont approchées disent oui sans hésiter. Céline Dion, Diane Dufresne, Ginette Reno, Louise Forestier, Isabelle Boulay, Luce Dufault, Laurence Jalbert, Ariane Moffatt, Marie Denise Pelletier, Marie-Élaine Thibert et Catherine Major acceptent de prêter leur voix pour dire leur amour à celle qui est leur amie, leur modèle ou leur précieuse camarade. «Je n'en revenais pas, dit Monique Giroux. Je n'avais jamais vu un truc aussi fou.»

Le samedi 2 mars 2019, le chef d'orchestre Simon Leclerc enregistre les cordes aux Studios Piccolo. On fait appel aux Voix Boréales, un groupe de jeunes filles de 8 à 17 ans, pour les chœurs. Pour des questions d'horaire, Diane Dufresne et Isabelle Boulay se rendent en studio le samedi. En soirée, très tard, après son spectacle à Las Vegas, Céline Dion enregistre sa partie sur la scène du Caesars Palace.

Le lendemain à Montréal, par une journée qui annonce le printemps, les autres artistes défilent au studio. On demande aux chanteuses de s'habiller en noir. Des maquilleuses leur font des «yeux charbonnés à la Renée Claude», car une vidéo est tournée. Le lancement de la chanson et du clip a lieu le 8 mars. L'interprétation des 11 chanteuses de *Tu trouveras la paix* tire les larmes des dizaines de milliers de gens qui la découvrent. Apprenant l'état de santé de Renée Claude, le public confère aux paroles de la chanson un tout nouveau sens. Tout le monde s'accorde pour dire qu'il s'agit là d'un hommage à la hauteur du talent et de la grandeur d'âme de cette artiste.

Le 3 juillet, comme il l'a fait l'année précédente, Robert Langevin organise une fête pour souligner l'anniversaire de son amoureuse. La raison est bonne : Renée Claude a 80 ans. L'événement est organisé dans le jardin de la maison du couple et réunit les frères de Renée, Michel et Richard, André Ducharme, Normand Paquette, Richard Gervais et Philippe Noireaut. Ce dernier apporte un piano et interprète *La lune* de Ferré.

Renée Claude écoute, regarde autour d'elle... Elle offre des sourires à ceux qui l'entourent. «Ce qui me rassure, dit Robert Langevin, c'est que Renée n'a pas l'air de souffrir. Elle sourit et chantonne tout le temps.»

Celle qui a magnifié par son talent des centaines de chansons au cours de sa vie a enfoui ses souvenirs dans des malles. Les plus grands moments de sa vie sont gardés dans un lieu secret auquel plus personne n'a accès. Même pas elle.

Mais elle sait, elle sent, elle devine qu'elle est une chanteuse. Qu'elle l'a toujours été. Et que sa voix a créé du bonheur chaque fois qu'elle s'est fait entendre.

Personnes interviewées

France Beaudoin
Michel Bélanger
Richard Bélanger
Véronique Béliveau
André Brassard
Louise Collette
Pierre Curzi
Pierre David
Marc Desjardins
Clémence DesRochers
·François Dompierre
François Dubé
André Ducharme
Jean-Pierre Ferland
Louise Forestier

Bill Gagnon
Monique Giroux
Robert Langevin
Roger Laroche
Guy Latraverse
Mouffe
Philippe Noireaut
Aubert Pallascio
Normand Paquette
Luc Plamondon
Michel Robidoux
Michel Tremblay
Sylvie Tremblay
Stéphane Venne

Documents audiovisuels consultés

Dix minutes d'entracte, Radio-Canada, émission du 12 mars 1962

Ils parlent et chantent, Radio-Canada, émission du 13 octobre 1965

Présent, Radio-Canada, émissions du 12 avril 1966 et du 16 mai 1967

À chacun son tour, Radio-Canada, émission du 5 juillet 1967

Magazine éclair, Radio-Canada, émission du 24 janvier 1969

Avis de recherche, Radio-Canada, 1984

Entrée des artistes, Radio-Canada, émission du 27 novembre 1999

Soirée Hommage Québecor, vidéo de présentation, 2008

Un cœur apaisé, Groupe PVP, 2013

Ouvrages consultés

Dompierre, François, *Monique Leyrac, le roman d'une vie*, Éditions La Presse, 2019

Gaulin, Jean-Guy, *L'époque des boîtes à chansons*, Cap-aux-Diamants : La revue d'histoire du Québec, numéro 35, automne 1993

Godbout, Jacques, *Plamondon, un cœur de rocker*, Les Éditions de l'Homme, 1988

Kay, Linda, *Elles étaient seize*, Éditions Champ Libre, 2015

L'Herbier, Benoît, *La chanson québécoise, des origines à nos jours*, Éditions de l'Homme, 1974

Lebel, Gérard et Saintonge, Jacques, *Nos ancêtres*, Éditions Sainte-Anne-de-Beaupré

Lemay, Daniel, *Guy Latraverse, 50 ans de showbiz québécois*, Éditions La Presse, 2013

Pedneault, Hélène et Bombardier, Danièle, *Notre Clémence, d'amour et d'humour*, Les Éditions de l'Homme, 2013

Réval, Anne et Bernard, *Gilbert Bécaud, Jardins secrets*, Éditions France-Empire, 2001

Roy, Bruno, *Et cette Amérique chante en québécois*, Leméac, 1978

Thérien, Robert et D'Amours, Isabelle, *Dictionnaire de la musique populaire au Québec*, IQRC, 1992

Todd, Olivier, *Jacques Brel, une vie*, Éditions Robert Laffont

Trudel, Éric, *Les 101 disques qui ont marqué le Québec*, Trécarré, 2008

Venne, Stéphane, *Le Frisson des chansons*, Stanké, 2006

Articles de presse consultés
(selon la date de parution)

Venne, Stéphane, « Dans le mille », *Le Quartier latin*, 25 octobre 1960

Provost, Jean-Marc, « Une belle fille et une artiste aux mille talents »,
Télé-Radiomonde, 14 juin 1962

Duval, Jacques, « D pour divers... », *Télé-Radiomonde*, 18 août 1962

Auteur anonyme, « Renée Claude ou le culte de la chanson », *Le Progrès
du Golfe*, 19 juillet 1963

Belleau, Massue, « Pour faire mentir la légende, une robe rouge »,
Maclean, avril 1965

Auteur anonyme, « Pour ceux qui aiment », *La semaine à Radio-Canada*,
17 avril 1965

Théroux, Gisèle, « Renée Claude chantera pour vous », *Le Courrier
de Saint-Hyacinthe*, 29 avril 1965

Brunelle, Christiane, « La chanson d'aujourd'hui avec Létourneau
et Renée Claude », *Le Soleil*, 22 novembre 1965

Gingras, Claude, « L'intense féminité de Renée Claude », *La Presse*,
19 février 1966

Beaulne, P.E., et Côté, Edmond, « Retour du Mexique de Renée Claude »,
Télé-Radiomonde, 2 avril 1966

Auteur anonyme, « Renée Claude au Festival de Sopot », *L'Action populaire*,
13 avril 1966

Auteur anonyme, « Changement probable de maison de disques pour
Renée Claude », *Télé-Radiomonde*, 18 février 1967

Auteur anonyme, « Renée Claude avec Jacques Brel à la C.C. »,
Télé-Radiomonde, 25 mars 1967

Dubois, Guy, et Grégorio, Jacques, « Le Bruxellois vient nous faire ses
adieux à la C. C. », *Télé-Radiomonde*, 8 avril 1967

Beaulieu, Victor-Lévy, « Renée Claude : Nous sommes gâtés par l'Amérique,
TV Hebdo, 10 juin 1967

Articles de presse consultés

Bergeron, Raymonde, « La plus grande richesse de Renée Claude : sa famille », *Échos Vedettes*, 1er juillet 1967

Auteur anonyme, « Renée Claude : un nom, un visage, une voix », *La Tribune*, 8 février 1968

Auteur anonyme, « La course aux Méritas », *Télé-Radiomonde*, 8 juin 1968

Claude, Renée, « Renée Claude telle qu'en elle-même et par elle-même », *TV Hebdo*, 14 septembre 1968

D'Anjou, Yvon, « Le gouvernement a versé 15 000 $ à des artistes pour un spectacle de 3 heures », *Télé-Radiomonde*, 13 décembre 1969

Girouard, Michel, « On aurait dû préférer Renée Claude à Monique Leyrac », *Télé-Radiomonde*, 25 mai 1968

Corrivault, Martine, « La philosophie quotidienne de la nouvelle Renée Claude », *Le Soleil*, 14 décembre 1968

Auteur anonyme, « Renée Claude, Jenny Rock, Solange Sylvestre et Isabelle Pierre suivent ensemble des cours de chant », *Télé-Radiomonde*, 19 avril 1969

Auteur anonyme, « 67 artistes fêteront le 5e anniversaire du Patriote », *Télé-Radiomonde*, 13 décembre 1969

Bélair, Michel, « Renée Claude : un triomphe fort sympathique », Le *Devoir*, 19 février 1970

Labrosse, Lucette, et Grenier, Lisette, « Spécial Renée Claude », *Photo-Journal*, 20 juillet 1970

Auteur anonyme, « Renée Claude, ambassadrice de la chanson canadienne », *Ici Radio-Canada*, 15 août 1970

Auteur anonyme, « Renée Claude avec l'OSM », *Télé-Radiomonde*, 22 août 1970

Auteur anonyme, « Renée Claude en face de Renée Claude », *L'actualité*, novembre 1970

Auteur anonyme, « Renée Claude attirera-t-elle 13 000 personnes ? », *Télé-Radiomonde*, 23 janvier 1971

Auteur anonyme, « Renée Claude obtient un énorme succès », *Le Nouvelliste*, 24 avril 1971

Auteur anonyme, « Renée Claude n'a pu tenir le coup », *Télé-Radiomonde*, 22 mai 1971

Articles de presse consultés

Brousseau, Pierre, « De retour de Russie, Renée Claude passe à l'offensive », *Photo-Journal*, 2 juillet 1972

Homier-Roy, René, « Renée Claude : un cheminement fascinant », *La Presse*, 13 octobre 1972

Homier-Roy, René, « Bye Bye Showbiz », *La Presse*, 8 février 1973

Desjardins, Jean-Marc, « Les femmes, les femmes », *La Presse*, 16 février 1974

Germain, Georges-Hébert, « Rassembler les pièces d'un puzzle », *La Presse*, 24 octobre 1974

Auteur anonyme, « Renée Claude au bord de la dépression », *Télé-Radiomonde*, 7 décembre 1974

Auteur anonyme, « Renée Claude chante l'amour et la féminité », *Télé Presse*, 22 au 29 mars 1975

Girouard, Michel, « Un excellent changement pour Renée Claude », *Télé-Radiomonde*, 12 avril 1975

Auteur anonyme, « Renée Claude lance *L'amante et l'épouse* », *Télé-Radiomonde*, 11 octobre 1975

Auteur anonyme, « Renée Claude au Festival de Spa », *La Presse*, 2 juin 1976

L'Heureux, Christine, « Renée Claude », *Le Devoir*, 9 octobre 1976

Petrowski, Nathalie, « Renée Claude : entre deux styles, deux générations », *Le Devoir*, 17 décembre 1976

Rudel-Tessier, Joseph, « Rudel-Tessier rencontre Renée Claude », *TV Hebdo*, 15 juillet 1978

Beaulieu, Pierre, « Renée Claude aux prises avec son image », *La Presse*, 23 juin 1979

Robert, André, « Les émotions d'une femme de 40 ans », *Le Lundi*, septembre 1979

Claude, Renée, « Courrier », *La Presse*, 26 janvier 1980

Ducharme, André, « Après vingt ans de frissons un grand éclat de rire », *Perspectives*, 9 août 1980

Campeau, Nicole, « Quand les femmes chanteront les femmes », *Le Devoir*, 19 septembre 1981

Petrowski, Nathalie « Renée Claude chante l'éternel masculin », *Le Devoir*, 19 novembre 1981

Articles de presse consultés

Samson, Jacques, « Renée Claude rêvait d'un disque d'auteur », *Le Soleil*, 8 juin 1982

Tanguay, Louis, « Renée Claude prête à "marcher sur l'eau" », *Le Soleil*, 1er décembre 1986

Cloutier, Michel, « Renée Claude chante avec ivresse Nelligan et Brassens », *Le Nouvelliste*, 5 octobre 1987

Vigeant, Yolande, « À cœur ouvert avec Renée Claude », *Le Lundi*, 4 mars 1989

Sarfati, Sonia, « Un 10e rendez-vous d'amour avec Georges Brassens », *La Presse*, 5 octobre 1991

Cormier, Sylvain, « Renée Claude, la noblesse de l'interprétation », *Le Devoir*, 19 octobre 1991

Rheault, Ghislaine, « Le pif de Janette », *Le Soleil*, 7 février 1992

Trudeau, Anne-Marie, « Renée Claude, comédienne », *Le Lundi*, juillet 1992

Blais, Marie-Christine, « Redécouvrir Renée Claude dans son rendez-vous avec Brassens », *La Presse*, 15 mai 1993

Julien, Francine, « La déchirée et la discrète », *Le Soleil*, 15 mai 1993

Cormier, Sylvain, « Ferré, Renée Claude, la douceur et la violence », *Le Devoir*, 11 septembre 1993

Cormier, Sylvain, « Ferré l'anarchiste résiste aussi au spectacle-hommage de Renée Claude », *Le Devoir*, 20 septembre 1993

Lemieux, Louise, « Renée Claude se sent habitée par Léo Ferré », *Le Soleil*, 23 octobre 1993

Ducharme, André, « Renée Claude, irremplaçable », *L'actualité*, vol. 19, n° 3, 1er mars 1994

Cormier, Sylvain, « Du Ferré, c'est sain », *Le Devoir*, 11 septembre 1994

Lemieux, Louise, « Renée Claude chante Léo Ferré : spectacle décrié disque encensé », *Le Soleil*, 22 septembre 1994

Corriveau, Sylvie, « Renée Claude, exigeante et sélective », *Le Soleil*, 4 juillet 1995

Blais, Marie-Christine, « Léo Ferré ne revit qu'à moitié avec Renée Claude », *La Presse*, 20 septembre 1995

Dolbec, Michel, « À grandes voix, grands prix », *La Presse Canadienne*, 16 avril 1996

Articles de presse consultés

Dolbec, Michel, « Honnête petit succès de Renée Claude à Paris »,
La Presse Canadienne, 13 mai 1996

Robitaille, Antoine, « Léo Ferré fait voyager Renée Claude », *La Presse*,
11 juillet 1997

LaFerrière, Michèle, « Renée Claude ramène Ferré à l'Anglicane »,
Le Soleil, 13 mars 1997

Hazera, Hélène, « Reine Claude », *Libération*, 14 février 1998

Bernatchez, Raymond, « Les pérégrinations d'un homme raisonnable »,
La Presse, 24 janvier 1999

Pénet, Martin, « Renée Claude », *Je chante*, numéro 24, mars 1999

Lemieux, Michèle, « Robert comprend ce que je fais mais surtout,
il accepte… », *Le Lundi*, juillet 1999

Paradis, Suzette, « Les choix qui ont influencé ma vie », *Le Lundi*, mars 2001

Blais, Marie-Christine, « Influences de toutes sortes », *La Presse*, 27 juillet
2001

Lemieux, Louis-Guy, « Deux ancêtres prolifiques », *Le Soleil*, 11 juillet 2004

Tremblay, Régis, « Renée Claude dans le miroir », *Le Soleil*, 25 février 2006

Lesage, Valérie, « Souffrir pour l'amour de Ferré », *Le Soleil*, 10 mai 2008

Laurence, Jean-Christophe, « Pas question de retraite », *La Presse*, 17 mai
2008

Auteur anonyme, « L'Ordre du Canada accueille 57 membres », *La Presse
Canadienne*, 31 décembre 2009

Brassard, Jean-François, « Renée Claude atteinte de la maladie
d'Alzheimer », *Échos Vedettes*, 9 au 15 février 2019

Discographie

33 tours et CD

Renée Claude Volume 1 (Disques Select) 1963 (réédition en CD, Musicor, 2013)

Renée Claude Volume 2 (Disques Select), 1964 (réédition en CD, Musicor, 2013)

Renée Claude Volume 3 – Il y eut un jour (Disques Select), 1965 (réédition en CD, Musicor, 2013)

Renée Claude Volume 4 (Disques Select), 1966 (réédition en CD, Musicor, 2013)

Shippagan (Disques Columbia), 1967

C'est notre fête aujourd'hui (Barclay), 1969

Le tour de la terre (Barclay), 1969

Le début d'un temps nouveau (Barclay), 1970

Tu trouveras la paix (Barclay), 1971

Je reprends mon souffle (Barclay), 1972

Ce soir je fais l'amour avec toi (Barclay), 1973 (Note : Ce disque est paru également sous une autre pochette).

Je suis une femme (Disques London), 1975

L'enamour Le désamour (Disques London), 1976

Bonjour (Disques Sol 7), 1979

Moi c'est Clémence que j'aime le mieux ! (Disques Pro-Culture), 1981 (réédition en CD, Disques Transit), 2002

Renée Claude chante Brassens (Disques GMD), 1983

Renée Claude (Disques GMD), 1986 (réédition en CD sous le titre *Le futur est femme*, Disques XXI-21, 2004)

J'ai rendez-vous avec vous – Georges Brassens (Disques Transit), 1993

On a marché sur l'amour : Renée Claude chante Léo Ferré (Disques Transit), 1994

45 tours

Feuilles de gui/Tête heureuse (interprétée par Jacques Blanchet), Disques Split, 1962

Les gens de la tournée/Sans toi/Pour qui/La marquise coton (Ducretet-Thomson), 1963

Pour qui/Sans toi (Select), 1964

Qui donc me fera ma chanson/Blues pour un chien de ruelle (Select), 1966

De mémoire/Le jour déborde/Tante Camilienne/Scène d'amour (Ducretet-Thomson), 1966

Shippagan/Donne-moi le temps (Columbia), 1967

On dirait bien/Tu es le même (Columbia), 1967

If You Go Away/And I Love Him (Columbia), 1968

On dirait bien/Et te voilà (Columbia), 1968

Je n'étais rien avant toi/Les fleurs de papier (Barclay), 1969

C'est notre fête aujourd'hui/Guevara (Barclay), 1969

Coke... le vrai de vrai (Coca-Cola), 1969

Once/Love Is The Simplest Thing (Barclay), 1969

Le tour de la terre/Reste à dormir (Barclay), 1970

Le début d'un temps nouveau/Lorsque nous serons vieux (Barclay France), 1970

The Only One I Follow/Children (Barclay), 1970

Viens faire un tour/Sais-tu que je t'aime depuis longtemps (Barclay), 1970

Tu trouveras la paix/Tous les nuages (Barclay), 1971

La rue de la Montagne/Ne pars pas (Barclay), 1971

C'est toi, c'est moi, c'est lui, c'est nous autres/Et après ça (Barclay), 1972

C'est toi, c'est moi, c'est lui, c'est nous autres/C'est notre fête aujourd'hui (Barclay), 1972 (réédition)

J'ai besoin d'un grand amour/Et après ça (Barclay France), 1972

Tu m'as laissée tomber du 7ᵉ ciel/C'est pas un jour comme les autres (Barclay), 1972

Tu trouveras la paix/Le début d'un temps nouveau (Barclay France), 1972

Cours pas trop fort, cours pas trop loin/La bagomane (Barclay), 1972

Ce soir je fais l'amour avec toi/Les enfants de l'été (Barclay), 1973

Discographie

Un gars comme toi/Antipodes (Barclay), 1973

Le ciel du sud/Vivre au jour le jour (Barclay), 1973

Je veux vivre avec toi/Comme tous les matins (Barclay), 1974

Si tu viens dans mon pays/Le monde est fou (Barclay), 1974

Si tu viens dans mon pays/Ce soir je fais l'amour avec toi (Barclay), 1975
(réédition)

Rêver en couleur/Ça commence comme ça (Disques London), 1975

C'est l'amour qui mène le monde/Je suis une femme d'aujourd'hui (Disques
London), 1975

C'est l'amour qui mène le monde/Rêver en couleur (Philips), 1975 (Note :
paru en France seulement)

L'amante et l'épouse/Donnons-nous le temps (Disques London), 1975

Tous ceux qui veulent changer le monde/Je suis une femme d'aujourd'hui
(Disques London), 1976

L'inventaire/L'enamour (Disques London), 1976

Parlez-moi d'amour/Mesdames et messieurs (Disques London) 1977

Are You Lonesome Tonight/Je recommence à vivre (Telson), 1978

Saint-Jovite (avec Jean Robitaille)/*Le locataire* (Gamma), 1979

Salut Québec/Version instrumentale (Disque Sol 7), 1979

Le bonheur/Je suis un chat (Disque Sol 7), 1979

Prends-moi/Version instrumentale (TC), 1980

Je ferai un jardin/La vie d'factrie (Pro-Culture), 1982

En vacances/Version instrumentale (Pro-Culture), 1982

Désarmons/Version instrumentale (Pro-Culture), 1983

Une de trop/Marcher sur l'eau (GMD), 1986

Jour après jour/Version instrumentale (GMD), 1986

Mes nuits vidéo/Version instrumentale (Disques Double), 1990

Compilations et enregistrements publics

Renée Claude, Stade 1, compilation de 6 titres en mini-33 tours (Disques Select), 1966

Le Disque d'or (Disques Select), 1966 (Note : Ce disque est également paru en 1969 avec une autre pochette sous étiquette Vega)

Les grands succès Barclay Volume 1, compilation double (Barclay), 1973

Les grands succès Barclay Volume 2, compilation double (Barclay), 1974

Renée Claude à Camp Fortune (Radio-Canada International), 1974

Les refrains d'abord, compilation des quatre premiers disques chez Select (Fonovox), 1997

C'était le début d'un temps nouveau (Disques Transit), 1998

Entre la terre et le soleil – Renée Claude chante Luc Plamondon (Disques Transit/Interdisc), 2006

Les incontournables (Musicor), 2008

Participation à d'autres disques

Noël de nos chansonniers – Collectif pour Noël – *À chaque mois de décembre* (Disques Select), 1964

André Gagnon – *Neiges* – *Chanson pour Renée Claude* (Disques London), 1975

Jean Robitaille – *Fais de beaux rêves* – *Saint-Jovite* (Disques Gamma), 1978

Fondation Québec-Afrique – Collectif pour l'Éthiopie – *Les yeux de la faim* (Kébec-Disc), 1985

Nelligan, opéra romantique d'André Gagnon et Michel Tremblay – *L'indifférence* (Disques Audiogram/Star), 1990

Sainte Nuit – collectif pour Noël – *Trois anges et Peuple fidèle* (avec Claude Gauthier) (Arpège Musique), 1993

Luc Plamondon – *Les grandes chansons* – Collectif d'artistes en hommage à Luc Plamondon – *Ce soir je fais l'amour avec toi* (Productions Guy Cloutier), 1995

La mémoire des boîtes à chansons – Collectif québécois – *La marquise coton* (DisQuébec), 1996

Je me souviens – Coffret commémoratif de la chanson québécoise – *C'est le début d'un temps nouveau* (GSI Musique), 1998

Stéphane Venne – *Le temps est bon* – *Le tour de la terre, Le début d'un temps nouveau, C'est notre fête aujourd'hui, Tu trouveras la paix* (Disques Citation), 1998

Les Divas du Québec – Collectif – *Viens faire un tour chez moi, Tu trouveras la paix, Nelligan* (Disques Divine Musique), 2003

Pierre Létourneau – *Heures de pointe* – *J'aimerais bien qu'on te chante* (avec Pierre Létourneau et Claude Gauthier) (Les Disques du store ouvert), 2006

Michel Conte – *Viens faire un tour* – *Viens faire un tour* (Disques XXI-21 et Intermède Music), 2008

CRÉDITS PHOTOS

1. Collection personnelle de Renée Claude
2. Collection personnelle de Renée Claude
3. Collection personnelle de Renée Claude
4. Collection personnelle de Renée Claude
5. Collection personnelle de Renée Claude
6. Collection personnelle de Renée Claude
7. Collection personnelle de Renée Claude
8. Collection personnelle de Renée Claude
9. Collection personnelle de Renée Claude
10. Collection personnelle de Renée Claude
11. Collection personnelle de Renée Claude
12. Collection personnelle de Renée Claude
13. Collection personnelle de Renée Claude
14. Collection personnelle de Renée Claude
15. Collection personnelle de Renée Claude
16. Collection personnelle de Renée Claude
17. Archives La Presse
18. Bibliothèque et Archives nationales du Québec/Fonds La Presse ©Paul Henri Talbot 1965
19. ©Ronald Labelle
20. ©Ronald Labelle
21. ©Ronald Labelle
22. Bibliothèque et Archives nationales du Québec/Fonds La Presse ©Yves Beauchamp
23. ©Ronald Labelle
24. ©Ronald Labelle
25. ©Ronald Labelle
26. ©Ronald Labelle
27. Collection personnelle de Renée Claude
28. ©Bruno Massenet
29. ©Gaby
30. ©Gaby
31. Bibliothèque et Archives nationales du Québec/Fonds Michel Conte ©Robert Nadon (La Presse)
32. Collection personnelle de Renée Claude
33. Collection personnelle de Renée Claude

Crédits photos

34. Collection personnelle de Renée Claude

35. ©Pierre Dury

36. Bibliothèque et Archives nationales du Québec/Fonds La Presse ©Yves Beauchamp

37. ©Ronald Labelle

38. Collection personnelle de Renée Claude

39. ©Daniel Poulin

40. ©Daniel Poulin

41. ©Lyne Charlebois

42. Archives La Presse/©Michel Gravel

43. Collection personnelle de Renée Claude

44. Collection personnelle de Renée Claude

45. ©Georges Dutil

46. Collection personnelle de Renée Claude

47. Bibliothèque et Archives nationales du Québec/Fonds La Presse ©Bernard Brault

48. Collection personnelle de Renée Claude

49. Collection personnelle de Renée Claude

50. Collection personnelle de Renée Claude

51. Collection personnelle de Renée Claude

52. Collection personnelle de Renée Claude

53. ©Christy Guntner/Les Publications Charron & Cie inc./GROUPE TVA

Table des matières